LES ÉCRIVAINS FRANÇAIS

ET LA MODE

COLLECTION DIRIGÉE PAR

BÉATRICE DIDIER

LES ÉCRIVAINS FRANÇAIS ET LA MODE

de Balzac à nos jours

Rose Fortassier

puf

ÉCRITURE

ISBN 2 13 041479 6
ISSN 0222-1179

Dépôt légal — 1re édition : 1988, novembre

108, boulevard Saint-Germain, 75006 Paris

I

Au commencement était Brummel

"High-life : *cette expression bien française se traduit en anglais par* fashionable people"

Apollinaire.

Le mariage morganatique de l'écrivain et de la mode s'est probablement scellé outre-Manche, le jour où le prince des poètes, Byron, dit qu'il enviait la gloire du roi des dandys, Brummell, et qu'il eût mieux aimé être Brummel que Napoléon, deux illustres exilés, comme lui. Byron, Brummell, les deux noms franchirent en même temps le Channel; mais il était difficile pour un esprit français de les unir dans un même malheur et une même gloire. En France, dandys et écrivains n'avaient guère eu l'occasion de se rencontrer, et l'on imagine mal Racine jaloux de Lauzun, Voltaire du beau duc de Richelieu, ou Lamartine du charmant d'Orsay. Il ne fallait pas moins que Balzac pour comprendre Byron, donner à l'élégance ses lettres de noblesse, inviter l'écrivain à prendre soin de son apparence.

C'est ce que les écrivains ne cesseront plus de faire. Il n'en est guère, au XIXe siècle et au XXe, qui n'aient imposé au peintre ou au photographe le vêtement qui leur paraissait le mieux traduire leur personnalité, et qu'ils s'étaient choisi pour le travail ou pour le monde : redingote à brandebourgs de Gautier, redingote à jupe de Barbey d'Aurevilly, veston de dandy à la boutonnière fleurie de Proust, loden à cape écossaise de Gide. Que certaines prétentions à l'élégance n'aient pas été couronnées de succès, peu importe ! Ce qui compte, c'est le souci nouveau chez l'artiste qui, cessant de se cacher comme l'ouvrier derrière son œuvre, entend imposer sa personne et son personnage. Si l'homme ne réussit pas, n'importe, le romancier ou le poète n'y perdront rien. S'est-on assez sottement moqué de Balzac et de ses efforts vers l'élégance, de son goût des parfums et de la pommade, de sa grosse canne de Suisse ! Les misères mêmes du mondain malheureux nous ont valu, dans *la Comédie humaine,* les inoubliables toilettes des jeunes gens pauvres et des élégantes inabordables.

Quant aux coquetteries d'écrivains, qui ne sont point "d'auteur", elles ne relèvent que de l'anecdotique. Ce qui nous importe, c'est qu'à partir de 1830 la mode et le vêtement partagent avec la littérature les ambitions opposées et complémentaires de la nouvelle école : se saisir de ce monde extérieur qu'on dit parfois réel, et privilégier l'Imagination. Le Romantisme, qui érige en puissance la Fantaisie, ne pourra que sympathiser avec la mode, avec ce qui la désigne souvent à la condamnation des sages, son continuel pouvoir d'invention, son aspect déguisement, sa folie. On n'imagine pas la reine des facultés sans la mode parmi ses suivantes. Le vêtement sera un des stimulants du rêve romantique. Les philosophes et les utopistes rêvent. Carlyle, l'idéaliste anglais, imagine en 1833, sur le modèle du chapeau de Fortunatus qui abolissait l'espace, un chapeau qui abolirait le temps ! Les Saint-Simoniens demandent au vêtement boutonné dans le dos de symboliser et de rendre indispensable la solidarité, et, pour établir la stricte égalité, Cabet, dans son imaginaire Icarie (1839), instaure le vêtement national, gratuit et obligatoire. Les poètes ne sont pas en reste : Nerval rêve de vêtements parfumés comme des fleurs et fait jouer aux vêtements anciens dont il se déguise un rôle quasi initiatique dans son idylle avec Sylvie. Ou bien, comme l'Obermann de Senancour se dépouillant de ses vêtements avant de monter seul sur le plus haut sommet, l'amant d'Aurélia abandonne les siens avant de marcher vers l'Étoile. "Et comme un Dieu je vais nu", écrira Mallarmé, car le vêtement est comme le corps de ce corps qui nous sépare de la divinité. Cependant que l'amour n'est souvent, selon le mot des Goncourt, qu'un "rêve à propos d'une robe". Le rêve peut se muer en cauchemar : tels ces chapeaux alignés sur leurs sydonies dans la devanture, qui deviennent fantastiquement, aux yeux de Baudelaire, une brochette de têtes coupées dans ce qui lui paraît être un laboratoire de fées.

Le nouvel intérêt pour le chiffon s'explique aussi par une nouvelle sensibilité accordée à un tempérament particulier. La mode, changeante par essence, répond à une exigence qui est celle des *nerveux*. Le nerveux demande au vêtement de le changer, de le calmer aussi, en imposant pour un moment à sa nature de Protée une forme précise, un rôle défini. Et, chez sa compagne, il apprécie le kaléidoscope de la mode. Léon-Paul Fargue disait avoir connu un humoriste qui prétendait que les femmes intelligentes s'arrangeaient à paraître nouvelles sans cesse, afin de tromper assidûment l'instinct polygamique de l'homme, qui est un instinct de nerveux. Or le XIXe siècle est le siècle des nerveux : cela commence en 1830 avec les *vaporeuses* et finit, si l'on peut dire, avec les *névrosés* de l'hôpital Charcot.

Sans doute il y a les grands dandys glacés, Anglais d'origine, qui relèvent du tempérament flegmatique. Aussi représentent-ils, ces "insolents icebergs" (comme René Crevel nomme les dandys), dans leur noir uniforme qui refuse la fantaisie et change à peine en un siècle, l'immobilisme contre lequel nos écrivains nerveux vont, pendant plus de cent ans, et de plus en plus, s'inscrire en faux. Comme ils refusent l'immobilisme et la tristesse qu'installe à leurs yeux une bourgeoisie qui n'a pour tout idéal que le positif. Chez beaucoup d'artistes, les recherches extravagantes dans le vêtement signifieront le refus de s'identifier à un siècle dont ils se sentent, ou se veulent, les exilés. C'est la révolte contre le fameux habit noir.

> *"C'est un chef-d'œuvre que d'avoir inventé un habit sérieux qui ne fût pas noir."*
>
> Molière.

> "Habit noir : *il faut dire* frac, *excepté dans le proverbe "l'habit ne fait pas le moine", auquel cas il faut dire* froc. *En province, est le dernier terme de la cérémonie et du dérangement.*"
>
> Flaubert, *Dictionnaire des idées reçues.*

Il n'est guère d'écrivain qui, depuis cent cinquante ans, n'en ait parlé, et généralement pour le maudire. Avant la Révolution de 1789, l'habit noir n'est porté que par les solliciteurs, les officiers réformés, les rentiers, les auteurs et les indigents. Le XIXe siècle l'impose pour le soir à l'homme élégant. Nous en sommes à peine sortis avec le smoking blanc d'été. Au XIXe siècle, il ne cesse d'ailleurs de noircir, cet habit, le gilet blanc de 1830 reculant devant le gilet noir, et c'est le lugubre trois-pièces qui, de *dandy,* devient, avec une cravate sévère, *doctrinaire.* Les nostalgiques du XVIIIe siècle enveloppent alors dans un même regret la conversation gaie et légère de ce temps et les gilets à fleurettes, manchettes de dentelle et nœuds de rubans. De ce charmant siècle les Goncourt écrivent qu'il "montait et descendait toute la gamme des couleurs, s'habillait de soleil, s'habillait de printemps, s'habillait de fleurs, jouait la vie dans la folie des couleurs". "De loin, concluent-ils, l'habit riait avant l'homme". Et ils voient dans l'habit sombre le noir symbole d'un siècle plat et sinistre : "Le monde, depuis qu'il existe, n'avait jamais eu à s'habiller de noir, à vivre en deuil. C'est un grand symptôme que le monde est bien vieux et bien triste et que bien des choses sont enterrées".

Notre écrivain du XIXe siècle a soif de fantaisie et de rêve, il n'aime pas le bourgeois, il a jugé le mondain : et le voilà condamné à la vulgarité du vêtement moderne en général et au deuil de l'habit en particulier! Je ne veux pas faire ici de drame : il est bien entendu qu'un créateur cesse vite de s'intéresser à ce qu'il paraît, voire à ce qu'il est. C'est même là un des thèmes de la littérature en ces deux derniers siècles; mais c'est un fait que la tristesse de l'habit masculin a frappé les écrivains. Balzac, les Goncourt, Zola, Daudet, et encore Cocteau, ne cessent de dire ce contraste entre la corbeille de fleurs vivantes et colorées que proposent les belles dames dans les grandes soirées, et le sombre mur que forment les messieurs : les robes claires et les chevelures brillantes de diamants et d'aigrettes se détachant sur le fond des monotones et anonymes habits noirs... Cliché révélateur d'un état de société : en renonçant aux couleurs chatoyantes, les hommes ont pour longtemps laissé le devant de la scène, et de la loge, aux femmes.

"Moi, je suis seulement la Beauté même. Je ne pense que par l'esprit de qui me contemple."

Villiers de l'Isle-Adam.

Pour la femme, c'est d'ailleurs là une fausse promotion, et qui n'est point à son honneur. En somme, le monsieur — à moins qu'il ne soit un *fat* — ne se met plus en frais de toilette pour lui plaire, comme ont toujours fait, dans la nature, le coq et le dindon. C'est à elle de séduire le mâle, de trouver dans la mousseline et la dentelle des armes pour ces "nécessaires batailles, comme dit Huysmans, qu'elles livrent au porte-monnaie contracté de l'homme". A lui la raison et le sérieux; à elle la frivolité et les frivolités, et cet illogisme dont il sera désormais entendu qu'à une certaine hauteur de société il fait son charme; elle devient ce que Jules Renard nommait assez drôlement d'un calembour "le roseau dépensant".

La médecine officielle de 1830, se recommandant du vieil Hippocrate, fournit des arguments à cette commode séparation des rôles, en la fondant en nature : le docteur Virey assimile le féminin au froid, à l'humide, au blanc, au lisse, et le masculin au chaud, au sec, au brun et au velu. Il distingue la nourriture riche qui produit les garçons, et la nourriture débilitante qui donne des filles, puis de faibles femmes. Opinions sans fondement, mais reprises par le grand Balzac en deux aphorismes : "La femme à la mode est la poésie de la lymphe, et l'homme d'État est la poésie du sang"; et encore "la marée donne les filles, la boucherie fait les garçons".

La royauté de la femme se fonde donc sur une certaine misogynie, et sur une peur que la psychanalyse n'a que trop abondamment expliquée. Car cet être inférieur et faible, la femme, cet "x charmant et terrible", comme dit Dumas fils, n'en est pas moins dangereuse. Les soins de la coquetterie la distrairont de plus inquiétantes entreprises : Serrons-lui la taille dans un corset, disent nos misogynes, soyons complices de son désir d'être, pour nous plaire, une sylphide, et conseillons-lui les nourritures blanches et pauvres, l'aile de poulet que l'on "suce" avec tant d'élégance dans tant de romans romantiques. Enfin admirons ses longs cheveux qui, Dieu merci, lui font, selon une formule célèbre, les idées courtes. Il ne s'agit point ici de reprendre les propos vengeurs de quelque M.L.F., mais de rappeler l'influence qu'aura sur la mode, pendant des lustres, l'idéal féminin que se forgent les hommes, puisque ce sont eux qui aiment ou qui n'aiment pas, ce sont eux qui donnent leur avis et qui écrivent. A quelques exceptions près, le XIXe siècle ne fournit sur la mode féminine, cette privilégiée, qu'un point de vue masculin; même les journaux de mode sont en général aux mains des hommes qui disent, *nous* comme les avocats, pour parler des vêtements féminins; et les femmes-écrivains se sont souvent refusées à parler de ces chiffons, qui les enfermaient dans un rôle dont elles ne voulaient plus. Les journaux fondés par des femmes entre 1830 et 1848 ne sont pas des journaux de mode, ils ne parlent pas de mousselines et de dentelles, mais d'égalité de salaire entre ouvriers et ouvrières. Et George Sand, rendant compte des complaisants mémoires de la très-féminine et coquette comtesse Merlin, demande, non sans humeur, que les femmes "montrent un peu moins leurs épaules, et un peu plus de bonhomie". Naturellement sa correspondance fournirait une ample moisson pour notre sujet : elle commande à une cousine parisienne chapeaux, robes et chaussures introuvables à La Châtre, dessine dans les marges des modèles de cols pour sa belle-fille, à qui elle faisait parfois ses robes, précise à une amie qu'elle a horreur des carreaux et des volants. Mais la romancière, bien que contemporaine de Balzac, ne décrit les costumes que lorsqu'ils sont d'un autre siècle, ou paysans, et ses rares romans parisiens ne nous conduisent guère dans le monde où l'on s'habille. Non vraiment, personne ne méritait moins qu'elle le nom méprisant dont l'affuble Stendhal de "marchande de modes".

"Le Destin charmé suit tes jupons comme un chien."
Baudelaire.

"Ne leur jetez pas la pierre, Ô
Vous qu'affecte une jarretière."
Laforgue.

Le regard masculin jeté sur la mode explique que certains thèmes se retrouvent tout au long d'un siècle et demi : jeu de la peau et de la robe, de la robe et du corps remodelé au fil des saisons, identification de la femme à la robe, etc. Il explique surtout le fétichisme qui s'attache, suivant les écrivains et les modes, à telle ou telle pièce de la toilette féminine. Gazons pour le moment les dessous, bien qu'ils soient partie intégrante de la mode (et fort à la mode actuellement), corset, jarretières et bas de toutes couleurs, pourvu qu'ils ne soient pas bleus! Pour ne parler que de *l'habit de dessus,* comme on disait au XVIIIe siècle, citons : la voilette, le corsage et son décolleté, l'écharpe, et ces gants qui ont trouvé tant de poètes et de romanciers pour en faire la théorie et l'éloge, bien avant qu'Yvette Guilbert, puis Rita Hayworth en Gilda, n'en tirent (en les ôtant!) un effet merveilleusement érotique. Citons encore, sans vouloir être exhaustif, la jupe et sa traîne, la jupe et la "folie juponnière" (Huysmans) qu'elle déchaîne, et naturellement la chaussure. Et ce châle de cachemire qui, en l'enveloppant étroitement, dessine le corps de la passante, et dont les écrivains, et des plus grands, à partir de Balzac, ont dit la splendeur et la décadence. Les Goncourt le regrettent, Mallarmé n'ose plus le conseiller, pour une corbeille de mariage, que comme *toilette* pour envelopper les bijoux. Et Baudelaire, qui en aimait tant la bigarrure orientale, en éprouve à ses dépens la dépréciation quand, fort désargenté à la veille de Noël 1861, avec la permission de sa mère il porte *au clou,* pour la troisième fois, le cachemire de la générale Aupick, et se voit offrir, en fait de prêt, cent misérables francs!

L'intérêt de l'écrivain pour la mode tient aussi à l'importance qu'elle prend au XIXe siècle, surtout à partir de 1850, à cause des progrès techniques (la première machine Singer "à piquer" est de 1851), qui permettent la grande confection, et de la plus large diffusion qui s'ensuit grâce aux grands magasins; au développement aussi de la haute couture, de ses "expositions" comme on disait alors, avec mannequins vivants. La mode devient après 1850 le sujet de conversation privilégié, pour ne pas dire souvent unique, des femmes de la société et de leurs interlocuteurs les moins soupçonnables de s'intéresser aux frivolités. A l'impératrice Eugénie, qui ne sait de quoi parler à Sainte-Beuve invité à Compiègne : "Mais de tout, la rassure sa cousine, la princesse Mathilde, sauf de chiffons... et encore!"

Les écrivains vont de plus en plus se sentir des affinités avec les modes vestimentaires féminines, dont les vagues déferlantes se confondent, non seulement avec les règnes et les révolutions, mais aussi avec les mouvements artistiques et littéraires. Et la mode et la littérature grandissent aussi en même temps, touchant une clientèle ou un public jusque-là tenu à l'écart du chiffon comme de l'imprimé : confection d'une part, de l'autre gros tirages, romans jaunes à trois francs cinquante, collections populaires, *de chemin de fer* ou *de la jeunesse.* Mais le parallèle s'établit d'une manière moins visible et plus profonde, les écrivains prenant conscience des rapports entre leur art et cet autre art qui regarde le vêtement. Dans le journal *la Mode,* à l'automne 1829, on lisait déjà : "la mode, c'est la nature ornée". Dix ans plus tard, Balzac définira la littérature comme la nature choisie, élaguée, *ornée* (il n'est d'ailleurs pas impossible que le texte de *la Mode* soit de lui!)

La question du triste habit noir est plus importante qu'il n'y paraît. Chez les peintres, elle s'articule ainsi : faut-il peindre le grand médecin, le grand professeur, le grand général avec le costume de son état qui s'orne d'hermine, d'or ou de pourpre? Ou le portraiturer dans son triste habit mondain? Question qui ressortit à une autre plus générale : le costume moderne, masculin ou féminin, est-il digne d'entrer au Salon et au Musée? Ce n'est point le sentiment du Pellerin de *l'Éducation sentimentale,* qui fait poser Rosanette en Vénitienne du temps de Véronèse. Les écrivains croient qu'ils ont leur mot à dire dans ce débat. Les Goncourt, faisant taire leur dégoût pour le sinistre costume moderne, réclameront "des portraits de l'homme entier et pris dans ses habitudes de poses et dans les entours ordinaires de sa vie". Il ne seront pas les seuls à faire valoir cette revendication moderniste.

La mode propose d'autres choix, qui peuvent suggérer des équivalences en littérature. Ainsi la vieille opposition entre le *drapé* et le *cousu,* qui devient à certaines époques celle du *flou* et du *tailleur,* s'exprime au XIXe siècle en termes de *large* et de *collant.* 1830 est pour le *collant :* redingote boutonnée jusqu'en bas, poignets serrés, gants moulants, pantalons qui exigeaient parfois que leur malheureux prisonnier montât sur une chaise pour en attacher les sous-pieds. Mais les habits flottants ont eu aussi leur heure de gloire et leurs avocats. Il y a là comme l'équivalent de deux esthétiques littéraires, le lyrique et le moins lyrique, le long et le court.

Plus net, le dialogue de la *coupe* et de la *couleur,* qui se dit aussi de la *structure* et de la *couleur.* Dialogue repris par les couturiers à chaque époque en fonction de leur goût personnel. En peinture, cela se dit : le *dessin* ou la *couleur,* la *ligne* ou la *couleur,* — Ingres contre Delacroix. Cette opposition, illustrée par deux noms aussi fameux, alimente, dans la foulée de Diderot, la critique de Salons durant tout le siècle. J'en trouve le pendant en littérature dans la distinction qu'établit un grand article de Balzac (*Revue parisienne,* 1840), entre ce qu'il nomme la *littérature des idées,* représentée par Stendhal et Mérimée : c'est le *dessin,* et la *littérature des images,* la sienne et celle de George Sand : c'est la *couleur.*

En un siècle et demi, la mode et le vêtement vont entrer en littérature sous des costumes aussi variés qu'eux-mêmes. Didactique dans des *traités* et des *théories* qui tentent de définir les règles de l'élégance, et se dégradent en *guides du bon ton* édictant les lois du convenable selon les heures, les lieux et les âges, la mode se fait chroniqueuse dans les *Salons,* les articles de journaux, plus tard dans les compte-rendus de collections, parfois dûs à des plumes célèbres; et historienne dans des mémoires ou biographies de dandys ou de couturiers; cependant que de nos jours les sémiologues, laissant de côté la question esthétique chère au XIXe siècle, essaient de l'expliquer. Il est des écrivains — très peu — qui la vitupèrent; d'autres s'en amusent; des poètes en éternisent l'aspect éphémère et charmant; les romanciers surtout s'en font les chroniqueurs, quand ils disent la disparition (temporaire) de la dentelle de Chantilly, annoncent l'invention du waterproof ou de la jupe-culotte, rappellent la loi qui permit aux ouvrières de s'asseoir, proclament la fin du jupon ou du corset; on a reconnu Nerval, Mallarmé, Toulet, Colette, Cocteau; et les historiens, quand les Goncourt, Zola ou Proust reconstituent exactement la robe ou le chapeau que portaient, une ou deux décennies plus tôt, un personnage historique ou simplement réel.

La mode paraît dans le roman avec ses décors, intimes et publics, et les coulisses où elle se fabrique; avec les scènes auxquelles elle donne lieu, habillage, déshabillage, essayage; et les dialogues, souvent amusants, qu'elle suscite; avec ses personnages pittoresques, coquettes, dandys et leurs pourvoyeurs; il arrive qu'un grand couturier y tienne un petit bout de rôle : Staub et Worth habillent respectivement, de leurs illustres mains, Lucien de Rubempré chez Balzac, Renée Saccard chez Zola. L'arpette, l'ouvrière, la grande couturière, plus tard la dessinatrice de modes et le mannequin, entreront dans le roman avec Rachilde, Marguerite Audoux, Maurois, Colette, Félicien Marceau. Il arrive même que le chiffon et ses dangers deviennent le sujet du roman. On ne savait pas trop bien comment l'argent fondait entre les mains d'une Manon Lescaut, l'obligeant à recourir à de riches protecteurs. On sait au XIXe siècle quels sacrifices exige la robe lamé or de Mme de Restaud. Une femme ruinée par son marchand de tissus ou par son couturier et réduite au suicide, c'est le sujet, ou du moins le dénouement de *Madame Bovary* et de *la Curée.*

Mais surtout on la décrit, la robe. La mode, un discours neuf en 1830. Balzac disait avoir, en 1933, "créé le paysage en littérature" avec son *Médecin de campagne*; la mode est aussi à créer en littérature, et, comme elle change plus vite que le paysage, elle requiert de chaque écrivain, à son époque, l'apprentissage d'un vocabulaire et l'invention d'une syntaxe, d'un style. Cette description mérite surtout de retenir notre attention, comme nous intéresse tout portrait ou paysage dû à un écrivain, qu'il soit fait "sur le motif", s'inspire d'une œuvre graphique, ou soit imaginaire, puisque, de toute façon, le portrait ou le paysage écrit, comme la robe écrite, suppose une transposition, ce que la toile donnait à voir d'un coup dans son ensemble devant maintenant se révéler peu à peu au fil de la phrase, selon un ordre qu'il revient à l'écrivain de choisir; et devant se traduire en des mots, une syntaxe, des images qui tiennent lieu ici de palette et de brosses. Résultat : le *vêtement écrit,* selon l'expression aujourd'hui consacrée. De ces descriptions de toilettes, la forme la plus simple est l'énumération, plus ou moins étoffée d'épithètes, qui suffit à instruire le lecteur de la condition sociale du personnage, de son époque, de son âge. Plus élaborée, la description peut transposer une gravure de mode, s'inspirer d'une école de peinture ou d'un tableau précis. Car ce sont le graveur et le peintre qui, au siècle de Gavarni, Lami, Guys et Helleu, ont appris à l'écrivain à voir. Ils ont été l'indispensable intermédiaire; ils lui ont fourni une sorte de répertoire des attitudes : femme debout, femme assise, penchée sur son livre ou sa tapisserie, s'avançant, s'éloignant, passant. Souvent la sensualité commande la description qui, dans le vêtement, cherche à saisir les lignes du corps et son mouvement. Il arrive que l'admiration du spectateur immobilise et éternise une robe dans l'éblouissement d'une apparition. De toutes ces descriptions, les moins intéressantes ne sont pas forcément les plus courtes ou les plus sélectives. Mais les plus belles sont celles qui, jouant sur toutes les possibilités de la syntaxe, retardent savamment, et pour notre plus grand plaisir, la révélation de l'essentiel, ligne, couleur, ou image qui transfigure. Car la robe, qui se distingue si difficilement de celle qui la porte, a souvent ému, chez les prosateurs, la fibre poétique, et l'abondance des métaphores couturières révèle les écrivains qui ont profondément compris ou senti le charme d'une robe : elle est la marque de leur élection. Ainsi verrons-nous autour de la femme-fleur, cliché, fleurir les jardins les plus simples comme les plus exotiques; et le paon faire la roue dans maint déploiement ocellé de traîne.

"Le langage de la mode a sa folie."
Barbey d'Aurevilly.

"Car dans ce pays-ci les mots mêmes sont beaux."
Charles Cros.

La mode fait d'autres merveilles : elle enrichit la littérature, soit qu'elle propose sa langue à elle, soit qu'elle suscite chez l'écrivain un feu d'artifice de créations. De tout temps la langue du chiffon a enrichi le français, comme faisaient d'autres langages techniques, celui du cheval par exemple; mais le harnachement ni les figures de manège n'ont changé depuis Baucher ou d'Aure, ou même depuis le vieux Pluvinel, autant que la forme d'une robe. Chaque mode apporte ses expressions. Il paraît que notre encore actuel "c'est une autre paire de manches" nous vient de ces manches mobiles qu'au temps de Chrestien de Troyes, dans un beau mouvement d'enthousiasme, les dames pouvaient facilement arracher pour en faire don à leur chevalier. Tout ce que la mode invente d'expressions ne force pas les portes de l'Académie, mais celles de 1830 avaient chance d'être recueillies par des écrivains collectionneurs et antiquaires, et qui souhaitaient ouvrir le dictionnaire aux réalités nouvelles; celles de la fin du siècle, par des écrivains amoureux du mot rare et du néologisme. Faut-il ajouter que les mots de la mode présentent un charme d'autant plus grand qu'ils s'entourent de plus de mystère aux yeux des hommes, qui ne savent de la toilette féminine que ce qu'on a bien voulu leur en révéler ? La possession et l'usage de ces mots leur tient lieu d'une sorte d'initiation à la franc-maçonnerie féminine; ils leur donne accès aux secrets du cabinet de toilette ou du salon d'essayage. Aussi est-il amusant, et touchant, de voir Balzac, Baudelaire, les Goncourt, Mallarmé, Huysmans, recueillir ces cailloux, bijoux ou joujoux, que sont pour eux les noms de tissus, de pièces du vêtement ou d'accessoires de la toilette; dresser des listes, en guise de réserve où puiser.

Celle de Balzac, dans le manuscrit du *Traité de la vie élégante*, n'a pas moins de deux pages; on y trouve une vingtaine de noms de tissus, depuis les gros de Tours ou de Naples, bien connus, jusqu'aux plus rares tabis (moire) et alépine (chaîne de soie-trame de laine); et des fourrures, loutre, martre, et astrakan; et les pièces du vêtement féminin, la jupe et son jupon, le corset et son lacet, le spencer et le canezou (corsage-châle), le corps piqué, le busc, les volants et les jockeys (épaulette en volant) etc. La liste de tissus, chez les Goncourt, nous fait voyager de l'Écosse à l'Inde en passant par Alger, Naples et autres lieux exotiques. Celle de Baudelaire a trait au projet d'une *Élégie des chapeaux*; aussi y trouve-t-on, avec les coiffes à la Marie Stuart, les chapeaux Longueville et Lavallière, force rubans, fanfreluches, bouillons, ruches, plumes, marabouts et aigrettes, et les meubles de la modiste. Mallarmé, procédant à sa manière par prétérition, tout en les traitant de "vaines appellations", recueille les termes qui, à l'automne 1874, désignent des nuances proches. Huysmans est le spécialiste de ces paquets de mots jetés dans les marges de ses manuscrits, complément des dictionnaires qui encombrent sa table de travail. Ces mots passent quelquefois tels quels dans le texte élaboré; ainsi, dans un poème en prose, la longue énumération des souliers et chapeaux que suggère l'inscription bizarre d'une boutique : *Aux deux extrémités. Têtes et pieds* (!)

Au XVIIe siècle et au XVIIIe, les poètes s'étaient déjà enchantés de ces mots de mode, qui chantent. Ce sont sans doute des poètes qui avaient nommé ces petits morceaux de toile gommée noire, destinés à relever un teint de lys en jouant les grains de beauté, "mouches dans du lait". Puis, suivant leur place sur le visage ou le décolleté, ils avaient distingué *la précieuse, la galante, la baiseuse, la friponne, la badine* (l'on dirait des titres de pièces de clavecin, telles *l'Indiscrète, la Timide, la Follette,* de Rameau, ou, de Couperin, *la Ténébreuse, la Fringante, la Voluptueuse*), épithètes qui semblent suggérer quelque rôle en une comédie. C'est que vêtement et parure sont toujours, pour le moins comédien des êtres, un costume de théâtre, un déguisement, un rôle; le vêtement est lui-même un comédien en puissance, en quête d'un auteur et d'un texte; il appelle cette dramatisation que suggère le nom. Une manche dite *engageante,* un ruban nommé *venez-y voir* semblent inviter aux gestes audacieux; un autre, dit *désespoir* ou *deuil abattu,* n'annonce-t-il pas un triste dénouement ? Les robes parlent, au XVIIIe siècle, la langue de l'opéra : *soupirs étouffés, regrets superflus, plaintes indiscrètes;* les bonnets sont dits *des sentiments repliés, de l'esclavage brisé;* une couleur, *larmes indiscrètes.* Et les chapeaux de Beaulard, le rival de Rose Bertin, se nomment *Soupirs de Vénus, Double sourire, Chagrin aux lueurs d'opale.*

Au siècle suivant, le *Suivez-moi jeune homme* paraît échappé d'une comédie de Labiche comme le Chapeau de paille d'Italie, et le *Saute-en-barque* du Second Empire évoque les jeux de la Grenouillère chers à Monet, Renoir et Maupassant. Qui a inventé ces noms ? Des poètes ou des modistes ? On ne sait plus. En somme, les *merlans* (comme on disait alors) du XVIIIe siècle n'étaient pas si outrecuidants de s'égaler aux peintres et aux poètes de leur temps, quand ils coiffaient leurs clientes de bosquets, de ruisseaux, de moulins à vent, de bergers, de chasseurs dans un taillis, ou inventaient des coiffures parlantes *à la Montgolfier, à la Belle Poule* ou *à la Comète,* coiffures qui n'étaient pas seulement des chroniques illustrées, mais de vrais poèmes descriptifs et narratifs, et des idylles. Je ne sais quels poèmes couturiers avait encore à son actif en 1839 le modiste Maurice Beauvais pour voir son imagination comparée, dans le journal *La Mode*, à celle de Lamartine...

Ainsi, bien avant qu'on ne parlât de vêtement *dit* ou *écrit,* la toilette empruntait son ultime parure, non au ruban ou à la paillette, mais bien aux chatoyants bijoux de l'écrin nommé dictionnaire. Les robes, les parfums, les lignes, les couleurs ont continué à porter des noms qui évoquent la comédie ou le drame : *Drama, Moment volé,*

Adieu sagesse, Que sais-je ? Un jour viendra, Parlez-moi de lui, Que le rêve commence...

De cette connivence et communion entre la mode et l'écrivain, s'agissant des *mots,* témoignent aussi les images, comparaisons et métaphores que j'appellerais *couturières.* Au degré zéro, l'image décolorée par un long usage à laquelle un écrivain redonne vie en la rallongeant comme une robe. Montaigne voyait déjà l'imagination "se tailler plaisirs et déplaisirs à plein drap". Mallarmé fait l'éloge d'une actrice du Gymnase qui "a l'étoffe de bien belles robes et d'un charmant talent". Et je lis dans un roman de cette année : "Esther avait été taillée dans la même étoffe que son mari, et par le même couturier" (Belleto). Plus élaborée, l'expression neuve, qui remplace l'expression éculée; deux exemples pris aussi loin que possible l'un de l'autre : pour dire qu'il jette le manche après la cognée, Montaigne écrit : "Quand j'ai un escarpin de travers, je laisse encore de travers et ma chemise et ma cape". Et, chez Colette, *exagérer* se traduit par "coiffer d'un bien grand chapeau une petite tête".

Si le vêtement s'anime, devenant paon ou serpent, inversement l'animal peut devenir peluche; ainsi, les deux chiens havanais de Rosanette, assis sur le siège de la voiture près de leur élégante maîtresse "comme des manchons d'hermine"; ou l'hippocampe de Jules Renard qui "se tient droit comme une épingle de cravate". Et la corolle vivante, comme métamorphosée par quelque fée-fleuriste, se fait "crinoline de dentelle rose" (Larbaud). Roses et robes échangent leurs calices dans des vers de Gautier et de Mallarmé. Plus largement, toute la nature, en ses diverses saisons, sous les changeants éclairages, semble, en littérature, emprunter ses couleurs au couturier autant qu'au peintre. Flaubert, comme contaminé par sa Bovary, voit la campagne normande ainsi qu'"un grand manteau déplié qui a un collet de velours bordé d'un galon d'argent". Pour Gautier, le sentier jaune que suit Mlle de Maupin, fait "une ceinture de nankin à la robe brune de l'île, et lui serre la taille". Le ciel, chez Musset, "secoue le brouillard de sa robe", et Barbey d'Aurevilly jouit du temps tiède comme d'une "robe ouatée". A Villiers de l'Isle-Adam, l'étoile Vénus semble "une agrafe de diamant sur la tunique de la Nuit". Un pays traversé en train à la fin de l'hiver et au petit matin suggère à Larbaud "un petit museau froid sous la voilette"; et un romancier aussi peu imagé que Charles-Louis Philippe n'échappe pas à la métaphore de la robe quand il évoque le fleuve féminin qu'est la Seine.

Le vêtement traduit les jeux du soleil et de l'ombre; les crépuscules baudelairiens évoquent des robes de ballerines, les ciels apâlis ont pour le dandy Montesquiou la couleur d'un gant de soirée. Les poètes amoureux des beaux tissus en retrouvent volontiers la douceur dans le ciel, dans l'écorce des trembles, dans la chevelure d'une femme, dans sa voix. Objets, architectures, villes, tout peut emprunter au couturier. La chose va de soi quand l'objet appartient à la panoplie de l'élégant, ainsi la voiture "simple et coquette comme l'habit noir du dandy" (Flaubert). Plus rare, la ville "paresseuse et somnolente qui ne se décide pas à se montrer sous ses dentelles" (Zola) ou les squares "comme des bouquets accrochés à un fourreau de haut prix" (Aragon).

La métaphore couturière vient tout naturellement à l'écrivain curieux du vêtement pour désigner une fonction, un caractère, un sentiment. C'est Baudelaire reprochant à Gautier "d'avoir endossé", pour sa critique d'un Salon, "le carrick et la pélerine de l'homme bienfaisant". Ou Barbey d'Aurevilly disant qu'il s'est "dépouillé de sa souquenille couleur muraille du journaliste anonyme et libéral". Ou Gautier, qu'il a "boutonné son noir chagrin sous sa redingote noire". Tout peut être senti comme vêtement. Des mots savants, ce sont, pour Eugène Sue, "comme les tournures en crinolines... ça bouffe, et voilà tout"; les Goncourt voient dans la photographie "l'habit noir des choses".

L'abstraction ne demande aussi qu'à s'habiller. Il est assez normal que l'orgueil de son Rolla apparaisse à Musset comme ''un royal manteau d'or'' traînant derrière cet Alcibiade moderne, et que la chasteté apparaisse à Barbey d'Aurevilly sous les espèces d'un vertugadin de satin blanc. Plus originale, chez Flaubert, la comparaison d'une volonté de femme avec ''le voile de son chapeau retenu par un cordon, et qui palpite à tous les vents''. Barbey d'Aurevilly sent l'excessif amour dont un homme enveloppe une femme comme un manteau trop grand pour elle; il dit d'Ernest Feydeau, qui a dans son roman renversé le thème de l'adultère, qu'il a ''retourné le vieux gant sali''. Et Gobineau compare la manière de vivre enseignée dans l'enfance à un habit revêtu docilement mais qui s'est déchiré et dont il a fallu, en entrant dans le monde, ''renouveler la mauvaise étoffe''. Pour terminer sur une note plus gaie, le chiffon peut rajeunir l'apostrohe malicieuse. Chez Colette, une femme sans volonté se fait traiter de ''joli chiffon'' ou de ''loque de soie''; et *n'être pas futé* ne se dit plus *n'avoir pas inventé le fil à couper le beurre,* mais *n'avoir pas inventé la glace à trois faces,* ou *n'avoir pas inventé le volant en forme.*

2

Préhistoire d'une rencontre

"On dit proverbialement que les fous inventent les modes et que les sages les suivent."

Dictionnaire de l'Académie 1694.

Pour que Balzac apparaisse bien comme un pionnier, et pour justifier le *terminus a quo* de notre titre, il n'est peut-être pas inutile de jeter un coup d'œil sur les rapports entre les écrivains et la mode avant 1830. Mais jusqu'où remonter dans cette préhistoire d'une rencontre ? Jusqu'au bliaut de la belle Aude ? Jusqu'aux raffinements, extravagances et audaces médiévales, telles ces *chinses* ouvertes sur le côté et dont le laçage ménageait des fentes se correspondant dans les vêtements superposés, ce qui leur valait, de la part des prédicateurs, le nom de "fenêtres de l'Enfer" ? Remonterons-nous seulement au temps des Valois, quand les hommes se mettent à montrer leurs jambes, que les dames donnent de grands coups de ciseaux dans le sage décolleté rond de leurs aïeules, quand les têtes s'envolent dans des hennins cerfs-volants et que les pieds courent après la pointe de leurs chaussures à la poulaine ? Nous trouverions bien des chroniqueurs et des poètes pour témoigner de la folle imagination des Isabeau et des Agnès. Rabelais nous restituerait le costume du temps de François 1er, Montluc, Pierre de l'Estoile et Agrippa d'Aubigné ceux des règnes d'Henri II et de ses fils, et un poète, Lazare de Baïf, nous offrirait une histoire et une philosophie du vêtement dans son *De re vestimentaria libellus* (1526).

"Tout cela est autour de lui, non en lui."
Montaigne.

Pour parler philosophie du chiffon, nous partirons d'un philosophe, Montaigne, admirateur du dandy Alcibiade, lecteur du *Corteggiano* et de la *Civil Conversazione,* et dont la méditation est en train d'inventer *l'honnête homme,* qui aura son mot à dire sur la mode. Montaigne semble propre à comprendre la bigarrure de la mode, où trouve à s'exprimer la variété et la souplesse qu'il aime. Lui-même n'a pas été sensible aux charmes de la parure : "Je me passerais autant malaisément de mes gants, dit-il, que de ma chemise"; et quant à l'attrait des dames, il avoue : "Les perles et le brocadel y confèrent quelque chose". Toutefois ce philosophe tellement sensible au caractère local et provisoire de toute vérité devait englober dans sa critique les éphémères lois de la mode. Il en condamne la versatilité, blâme "la particulière indiscrétion de notre peuple, de se laisser si fort piper et aveugler à l'autorité de l'usage présent qu'il soit capable de changer d'avis et d'opinion tous les mois", et fustige cette "promptitude de changement à laquelle les plus fins d'entre nous se laissent *embabouiner";* sa condamnation s'illustre des inconstances du pourpoint dont "le busc jadis se situait entre les mamelles", et que la mode a, quelques années plus tard, "avalé entre les cuisses".

Autant que l'inconstance, c'est le mensonge qu'il condamne : la mode est un masque. "Du masque et de l'apparence, il n'en faut pas faire une essence". Chez lui, *paré* se dit *déguisé,* mot qui semble inventé pour les mignons, muguets, galants et autres *emplumés de panaches* des années à venir. Ne sachant où se prendre, ou plutôt prenant à toutes les modes importées par les reines italiennes ou espagnoles, ils semblent toujours prêts à paraître sur le théâtre ou à faire leur partie dans quelque ballet d'Incas ou de Topinamboux. Mais toute une époque ne pense-t-elle pas, comme ailleurs Shakespeare, que le monde est un théâtre ? Masque, poudre épaisse comme une croûte, rouge d'Espagne, onguent citrin, perruque d'étoupe, toute une mode outrée, dans laquelle donnent les deux sexes, se place sous l'invocation du paon et du caméléon, de Circé la magicienne et de Protée aux cent métaphoses.

Ces extravagances émeuvent les moralistes-théologiens du temps. Une même année (1642) voit paraître *la Mode* de Grenaille et *la Contre-mode* de Fitelieu. L'auteur du premier de ces ouvrages innocente la mode en y découvrant une explication globale du monde : elle introduirait dans la création divine le premier principe transformateur capable d'en assurer le fonctionnement. Explication intéressante que Balzac laïcisera en quelque sorte, voyant dans l'élégance le mouvement qui anime la matière. Grenaille n'a pas convaincu Fitelieu, qui condamne la mode parce qu'elle est anti-nature, artifice, donc diabolique. Étant le mal, elle est multiplicité en face de Dieu qui est l'Un. Et puis, l'homme fait à la semblance de Dieu n'a-t-il pas l'air, en se fardant et se parant, d'adresser des reproches (Tertullien l'avait déjà dit) à son créateur et modèle ? Sa punition sera qu'au jour du Jugement Dieu se refusera à reconnaître sa créature déguisée.

"Il n'est permis d'aimer le change
Qu'en fait de femmes et d'habits."
Malherbe.

La mode baroque trouve dans la littérature de plus célèbres reflets que ces deux ouvrages. Chiffons et livres se sont donnés rendez-vous dans la fameuse *Galerie marchande* du Palais de justice, où libraires et lingères se côtoient, se coudoyent, se jalousent. C'est dans cette *rue de la Paix* à l'échelle du Paris d'alors que Corneille conduit ses amoureux avec la comédie qui lui emprunte son nom, *la Galerie du Palais.* La belle Hippolyte se fait montrer des collets en point *d'esprit, de Gênes* et *d'Espagne;* la lingère lui garantit qu'elle ne risque pas de voir les mêmes au cou d'une autre femme (parole de couturier!); mais la suivante veille, qui dit qu'en trois *savons* (entendez lavages), c'en sera fait de ces dentelles. Et la discussion se fait très technique : celle-ci n'est pas assortie au passement, celle-là n'a de beau que son couronnement (sa bordure). Que ces dames veuillent bien attendre trois jours, car l'on va recevoir une merveille! Et c'est la promesse d'une prochaine visite à cette galerie, où nous verrons aux prises lingère et mercier se disputant la pratique de jeunes seigneurs en quête de bas de soie, de broderie et de tout ce qui fait *la petite oie,* ou garniture.

La présence de la mode dans *la Galerie du Palais,* dans *la Veuve* aussi, n'est pas fortuite. Elle ne fournit pas seulement un intermède; elle est comme un miroir-sorcière dans une comédie où elle renvoie au *change,* à l'*inconstance* (mots récurrents dans *la Galerie du Palais*) de jeunes gens et de jeunes filles dont l'amour est tout prêt à changer d'objet. Et même les personnages cornéliens passés à la postérité tout bardés de rigide vertu, la chatoyante inconstance est une constante tentation. Le vieux Don Diègue choquera encore son fils en lui rappelant qu'une de perdue, vingt autres beautés le pourront consoler! Le mensonge de la mode devait rencontrer quelque complicité chez un auteur qui s'amuse le premier des romanesques inventions de son Menteur; et, dans *l'Illusion comique,* belle est l'illusion qui fait prendre les brillants déguisements des comédiens pour les atours de riches seigneurs.

Sur la fin de l'époque Louis XIII, le terme de *mode* cesse de s'allier aux idées d'inconstance et d'artifice; il cesse de promener l'imagination sur des flots de dentelles. Avouons qu'il se décolore et s'assagit en rentrant dans le lit de sa première signification : "usage nouveau, mais approuvé par le plus grand nombre". Autour du mot se dessine alors une aura de propreté, de netteté, de bienséance. Il ne désigne plus les caprices du fou qui invente la mode, mais la finesse, la justesse de jugement, disons le maître mot, le *bon sens,* des honnêtes gens qui la suivent. On s'habillait pour se faire remarquer, on s'habille maintenant pour passer inaperçu, en faisant comme tout le monde. Le *costume* se range à la *coutume.* Au XIXe siècle, Balzac continuera à ne pas distinguer les deux mots, qui sont un seul et même mot.

De Corneille, nous sommes passés à Molière. On s'y moque des extravagances qui ne sont plus le fait que de ridicules petits marquis : blonds cheveux gonflés, petits pourpoints-brassières qui ne vont pas jusqu'au bréchet, et libèrent sur l'estomac le bouffant de la chemise. Débraillé calculé, esthétique à rebours, constante dans la mode, qui rejoint les *gants à la négligence* et les *manchons à l'occasion* de l'époque Louis XIII. Les applaudissements de Cathos et de Madelon, les moqueries d'Harpagon, et du Sganarelle de *l'École des maris,* l'étonnement bavard du Piarrot de *Don Juan,* les entretiens de Monsieur Jourdain avec son tailleur, dessinent la silhouette déséquilibrée de l'homme trop-à-la-mode des années 1661 à 1665 : manches trop longues et trop larges, haut de chausse tenu au pourpoint par des aunes de rubans et tombant comme une jupe à larges cannelures (ce sont les chausses dites *à tuyaux d'orgue*), ou encore cette rhingrave énorme dont le fond tombe entre les jambes; et les vastes canons de dentelle qui dessinent un entonnoir autour des genoux et forcent à marcher les jambes écartées; et les flots de rubans où se noie la chaussure.

Mais ce n'est pas à de bons avocats que Molière a confié la cause de l'anti-mode. Harpagon ni Sganarelle ne sont bien placés pour réhabiliter la fraise ou les aiguillettes à l'ancienne, quoique ces deux rôles, comme celui d'Alceste un peu plus tard, soient tenus par Molière lui-même. Et l'édit somptuaire de 1660, qui proscrit l'or et l'argent sur l'habit comme sur la chaise, ne peut que paraître rétrograde et ridicule quand c'est Sganarelle qui, enthousiaste, se propose d'en imposer la lecture à sa malheureuse pupille. La mode et la coquetterie sont au contraire défendues, dans *l'École des maris,* par l'excellent Ariste auquel le dénouement donne raison. Le parallélisme de la scène avec celle où s'affrontent Alceste et Philinte laisse entendre que les rubans verts d'Alceste, dont se moque Célimène, méritent d'être moqués, comme refusant la mode du jour, même si cette couleur, traditionnellement celle des bouffons, était aussi la préférée de Molière.

En se singularisant, Alceste le colérique ne se montre pas philosophe. Le philosophe, La Bruyère l'a dit, "se laisse habiller par son tailleur", pour être certain de ne pas se singulariser, et parce qu'il ne daigne pas s'occuper lui-même de ce que Pascal appelait "les choses indifférentes". Son attitude se comprend sur le fond de morale religieuse et mondaine du grand siècle. De ceux qui affectent la mode, *les Caractères* ont laissé de vivants portraits, tels celui du *fat,* ou de *l'efféminé.* Moraliste, La Bruyère voit comme Montaigne les inconséquences de la mode, et s'étonne que "les hommes emploient pour le comique et pour la mascarade ce qui leur a servi de parure grave et d'ornements les plus sérieux". Ce qui rappelle le mot du vieil acteur à qui l'on demandait où il achetait les extraordinaires chapeaux qui faisaient crouler de rire toute la salle : "je ne les achète pas, je les garde". Baudelaire a nommé La Bruyère "le maître inimitable" pour avoir dit ce qu'ajoutait à la toilette le port de tête et la démarche. Comme on le fera au XIXe siècle, La Bruyère établit un rapport entre le vêtement et les opinions, et il eût mérité aussi bien l'éloge de Balzac et des Goncourt pour avoir demandé aux protraitistes de peindre leurs modèles en costume du jour, "afin de laisser à nos descendants un document sur nos mœurs".

Au XVIIe siècle, la mode et le chiffon, il faut le dire, sont des mal-aimés, et freinés à la fois par la morale religieuse et mondaine, l'esprit aristocratique, et les lois somptuaires. Les moralistes prolongent la condamnation des théologiens et des orateurs de la chaire, même lorsqu'ils n'ont pas les mêmes raisons qu'un Massillon ou un Bridaine de tonner contre les *mouches* ou les *cerceaux*. La mode, c'est le mal, le ridicule, et le mensonge, ou tout au moins l'inconstance; vérité d'un jour et d'un lieu, demain et ailleurs mensonge. Les deux exemples de l'article *Mode* dans le Furetière semblent vouloir illustrer Pascal en exhaussant la frontière des Pyrénées : "les Français changent tous les jours de mode. Les Espagnols, constants dans leurs manières, ne changent jamais de mode". La mode déchaîne la hargne et la quasi cruauté d'écrivains appartenant à la vieille tradition misogyne et gauloise, et ne voulant pas qu'une femme cherche à réparer l'irréparable. Molière-Alceste refuse à la vieille Émilie le droit de porter du blanc; La Bruyère, La Rochefoucauld, et plus tard Montesquieu, ne veulent pas voir une femme vieillir et mourir avec des rubans couleur de feu.

La *nouvelle historique,* c'est-à-dire le roman psychologique et mondain, ne se soucie que des âmes et des cœurs : religion et morale sont d'accord avec les idées littéraires pour en exclure les chiffons. Pareillement l'esprit aristocratique les bannit des *mémoires* (à moins qu'ils ne soient écrits par la femme de chambre d'une reine). Une raison simple à cette absence : la garde-robe, surtout si elle est de cour et réglée par l'étiquette, comme on le voit dans Saint-Simon, coûte cher et ne se renouvelle guère. Mais la principale raison est que ce qui compte, ce sont les pierres précieuses, montées en bijoux ou cousues sur l'habit, oú elles dessinent des mosaïques. Perles et pierres constituent le cadeau, le legs par excellence; elles ont leur histoire, passent d'une maison à l'autre, comme les hôtels et les héritières, tel ce fil de perles que le Roi reprend à la Montespan disgraciée pour le donner à la duchesse de Bourgogne. Le maître mot de Saint-Simon, en fait de toilette, est *se parer,* c'est-à-dire, pour les cérémonies, se parer de pierres précieuses. Paré ou moins paré, le vêtement est chez lui signe de distinction, propre à faire naître les jalousies et l'émulation, ainsi du *justaucorps à brevet* qu'invente le Roi, bleu doublé de rouge, avec les parements et la veste rouges, brodés d'or et d'argent. Ainsi surtout du chapeau, instrument privilégié du cérémonial : celui dont les courtisans doivent vite se couvrir quand le Roi, sortant du château, dit bien haut : "Le chapeau, Messieurs"; celui, à plumes, avec lequel le Roi lui-même monnaie et mesure sa célèbre politesse.

Pour le reste, en dehors de la cérémonie, le bon genre, et proprement aristocratique, tient dans le mépris de la toilette. Peu de femmes, parmi celles qu'il estime et admire, auxquelles Saint-Simon ne fasse un mérite de cette noble négligence. Ainsi Mme de Bouillon : "Jamais femme ne s'occupa moins de sa toilette"; la duchesse de Lorge : "Jamais personne si peu soigneuse d'elle-même, si dégingandée; coiffure de travers, habits qui traînaient d'un côté", et naturellement "avec une grâce qui réparait tout"; la duchesse de Bourgogne enfin : "Sa toilette était faite en un moment; elle ne se souciait de parure que pour les bals et les fêtes". Méprisant l'habit, comme font ses modèles, Saint-Simon borne ses portraits à une formule quasi invariable et qui nous laisse un peu sur notre faim : "Elle était belle et faite au tour", "jolie et bien faite et d'esprit", "belle, bien faite et de fort bonne maison". Ce manque d'intérêt pour le vêtement se retrouve chez un Hamilton en Italie qui ne vante chez les beautés turinoises que leurs perfections physiques, blondeur des cheveux, vivacité des yeux, blancheur du teint et des mains, bouche bien meublée, petitesse du pied. Il semble que la stratégie des coquettes, au XVIIe siècle, n'emprunte rien aux ressources du chiffon, mais seulement à la grâce du geste et de la démarche, à l'esprit, à la conversation. Et si l'on parle de la couleur d'une toilette, c'est seulement parce qu'il est question de l'imposer à un "amant d'obligation" pour sa cocarde et son nœud d'épée.

L'extension de la mode est largement freinée par les édits qui interdisent aux bourgeois le damas, le velours, le taffetas et le satin, les bas incarnats, le masque et les bijoux de prix. Ils imposent à chaque état son costume propre, s'attaquant même parfois à ceux qui semblent les privilégiés de la mode, lorsque l'économie — déjà! — exige qu'on n'importe plus de l'étranger, à grands frais, dentelles et velours. Inversement d'ailleurs, c'est au nom de raisons économiques et charitables qu'on les a parfois abrogés : le jésuite Jean-François Régis, qui devait devenir un saint, a lutté du début du XVIIe siècle pour qu'on étendît le droit de porter la dentelle, qui faisait vivre les dentellières du Puy-en-Velay.

Pour des raisons moins philanthropiques, les bourgeois cherchent à tourner les lois qui les enferment dans leur condition. On voit dans La Bruyère un magistrat portant cravate et habit gris au lieu de l'habit noir avec manteau et collet que l'édit de 1664 ordonnait à ses pareils; un bourgeois qui porte un baudrier comme un militaire; et un militaire portant l'écharpe d'or et la plume blanche réservées aux officiers de la Maison du Roi. Paradoxalement, ces lois, qui semblaient condamner de nombreuses catégories sociales à l'austérité et à l'immobilisme, les rendent novatrices; les damnés de la mode inventent toujours quelque parure sur laquelle les lois ne sont pas encore prononcées; ce sont toujours quelques mois de gagnés... Le roman réaliste dit ce grignotage des privilèges aristocratiques. Dans *le Roman bourgeois* de Furetière (1666), on voit de jeunes personnes rogner le chaperon indice de leur classe, emprunter des diamants et oser la traîne, avec le petit laquais qu'elle exige pour la porter. Leurs homologues masculins se mettent, eux aussi, au goût du jour et de la cour, et tâchent d'avoir *bon air* : perruque blonde que le chapeau tenu à la main n'ose décoiffer, collet poudré, garniture fort enflée, linge orné de dentelle. La bourgeoise Lucrèce, parlant comme Pascal, justifie tout ce train par la nécessité d'en imposer, car on juge du mérite ou du rang à proportion de la hauteur de la dentelle, et "on les élève par degrés depuis le Pontignac jusqu'au point de Gênes". Le plaidoyer de Lucrèce est riche de ces termes techniques qui feront l'intérêt, un quart de siècle plus tard, du dictionnaire de Furetière. Lequel Furetière, rêvant, par le truchement de son marquis, à la mode et à ses garde-fous, invente un *grand conseil des modes* formé de marchands, de clients et d'huissiers, une sorte de Conseil des Prud'hommes et de Bureau des mesures, qui étalonnerait la mode, empêcherait les chapeaux de se faire tantôt galette, tantôt pot à beurre, les garnitures de monter en graine; et qui éviterait ainsi au malheureux provincial d'être hors mode, souci constant des gens de mode dans notre France coupée en deux, Paris et la province.

Avant de quitter le grand siècle, on a envie de faire un sort au seul regard féminin porté sur le chiffon. La dame était très sage, un peu ruinée et elle avait fêté ses quarante ans — la vieillesse! — lorsqu'elle se mit à écrire, ou, du moins, lorsqu'on se mit à conserver ce qu'elle écrivait. Toutes ces raisons auraient limité sa coquetterie, mais elle avait une fille, qui vivait le plus souvent à deux cents lieues de sa mère. C'était le temps où, de Paris, la mode s'exportait dans les provinces grâce à des poupées habillées dites *masques,* et jusqu'en Angleterre sous le nom de *dames de Nouveauté.* On dit qu'elles étaient de l'invention de Mlle de Scudéry; toujours est-il que c'étaient deux de ses amies, les vieilles demoiselles Bocquet qui, d'après Somaize, les habillaient avec beaucoup d'art. Mme de Sévigné promet de ces ambassadrices de la mode à Mme de Grignan : "Je vous ferai coiffer une poupée pour vous envoyer". Car il est beaucoup question de coiffures dans ses lettres. Ce jour d'avril 1671, elle vient de voir une coiffure qui irait bien à la belle Madelonne, ce qui nous vaut une très précise description de ce que devra faire Montgobert, la femme de chambre, pour réussir sur sa maîtresse cette coiffure "petit garçon".

Ailleurs la chère femme s'inquiète de ce que porte sa chère fille. A-t-elle seulement le courage de s'habiller ? Il le faut "Dites-moi un mot de vos habits, car il faut fixer ses pensées et donner des images". Et elle se charge des achats somptuaires, réquisitionne ses parentes et bonnes amies du Marais, Mme de Coulanges et Mme de Bagnols, pour choisir des échantillons; les bonnes dames aident, approuvent, essaient et mettent même la main à l'aiguille! Que ne ferait-on pas pour la reine de la Provence! Voici une grisette à doublure de taffetas noir, l'étoffe en est coupée, on va la porter à la couturière. Faut-il mettre quelque chose en bas ? On attend le corps de jupe. Voilà une cornette pour la jeune Pauline, avec un *chou* : "C'est la mode, il n'y a pas un mot à répondre", et un habit à fond blanc dont Pauline remercie sa grand-mère en un style qui a l'approbation de la célèbre épistolière. M. de Grignan passe aussi commande pour un très beau justaucorps. Mais là, c'est une affaire d'au moins huit cents francs, et, pour le gendre, la marquise trouve que c'est une dépense inutile !

Par délicatesse, elle fait celle qui s'amuse de ces histoires de chiffons, entrant dans le jeu de la coquetterie jusqu'à se dire corrompue par la mode. N'a-t-elle pas "succombé", — comme on *craque* aujourd'hui —, devant une robe de chambre mariant le vert et le violet ? Et l'humour s'appuyant sur la théologie, elle ajoute qu'elle s'est tout de même refusé la doublure couleur de feu : "J'ai trouvé que cela avait l'air d'une impénitence finale; le dessus est la pure fragilité, mais le dessous eût été une volonté déterminée qui m'a paru contre les bonnes mœurs; je me suis jetée dans le taffetas blanc". Je pense que le bon goût a gagné autant que les bonnes mœurs à ce sacrifice !

Mais voici qui devient sérieux : le duc et la duchesse de Chaulnes arrivent à Rennes pour ouvrir les États. Mme de Sévigné est aux Rochers. Foin des oripaux, il faut faire honneur à ces bons amis. Justement Mme de Grignan est à Paris. Peut-elle se renseigner sur les modes nouvelles ? L'habit de taffetas brun piqué, avec des campanes d'argent aux manches un peu relevées et au bas de la jupe, est-il encore mettable ? Sa couturière de Paris ne pourrait-elle lui faire un joli habit d'une doublure or et noir à laquelle on mettrait une frange d'or en bas ? Et ce sont aussi Charles et sa femme qui appellent leur sœur au secours, pour faire bonne figure à Rennes, car, dit leur mère, tout devant être magnifique, "il ne faut pas jouer à être ridicule".

Toute cette charmante correspondance familiale sauve de l'oubli des noms et adresses de couturières (race nouvellement émancipée de la tutelle masculine par un édit de 1671), le prix des tissus et de la façon. C'est une chronique amusante : jupes qui raccourcissent, manches unies qui passent de mode. Et vive les *transparents* noirs en dentelle d'Angleterre, qui ont fait leur apparition à Villers-Cotterêts, et ont inspiré au prince de Condé cette gaillardise, qu'ils seraient mille fois plus beaux si les dames voulaient bien les mettre à cru sur leur belle peau! Et qu'est-ce que cette drôle de coiffure nouvelle *hurlubrelue* sans rien sur les côtés, qui fait la tête nue et *hurluppée* (du punk d'il y a trois siècles !)

La chronique de la ville et de la cour sont vues du côté couturier. Langlée, pour faire sa cour à Mme de Montespan, lui a offert une robe en or; l'habit de noces de Mlle Louvois a coûté cinq mille francs, ses cornettes cinq cents écus. Devant le Roi, M. de Montchevreuil et M. de Villars se sont accrochés par leurs rubans, dentelles et clinquants, sans qu'on puisse venir à bout de les séparer; et le jeune d'Hocquincourt n'a pu faire tenir sa chemise dans ses chausses d'une forme nouvelle. Rires dans l'assistance : la gravité de la cérémonie en a quelque peu souffert; mais le Roi, bon prince, a dit : "C'est la faute de son tailleur".

Il faut en revenir aux coiffures, qui nous valent un joli morceau de bravoure dans l'une des dernières lettres de la marquise (15 mai 1691) :

> Parlons maintenant de la plus grande affaire qui soit à la Cour. C'est une chose qui a donné plus de peine à sa Majesté et qui lui a coûté plus de temps que ses dernières conquêtes. C'est la défaite des fontanges, à plates coutures; plus de coiffures élevées jusqu'aux nues, plus de *casques,* plus de *rayons,* plus de *bourgognes,* plus de *jardinières;* les princesses ont paru de trois quartiers moins hautes qu'à l'ordinaire; on fait usage de ses cheveux, comme on faisait il y a dix ans...

Il est amusant que la gloire et la chute des fontanges ait

excité la plume de trois autres écrivains (sans compter Boileau et Bayle) et non des moindres. Tout le monde connaît les lignes de La Bruyère écrites en 1687 sur ces édifices capillaires; ils avaient encore quatre ans à vivre. Il faut croire que la "défaite" de 1691 claironnée par Mme de Sévigné ne fut pas définitive, puisque le Persan de Montesquieu, Rica, arrivé en France en 1712, vit encore ces montagnes qui mettaient la tête d'une femme au milieu de sa personne. Ils devaient s'effondrer, pour de bon cette fois, en 1714. Rica rappelle cette mode dans une lettre de 1717. Et Saint-Simon, faisant mentir Bayle et Montesquieu, qui voient dans l'arbitraire royal l'origine et la fin des modes, en attribue le mérite à une ambassadrice d'Angleterre, née Italienne et fort à la mode à Versailles, qui n'avait pas craint de trouver ridicule la coiffure des dames françaises. "Et elles l'étaient en effet", reconnaît le petit duc.

La déroute des fontanges correspond, à une année près, à la fin du siècle de Louis XIV. Le nouveau siècle fait descendre non seulement les fontanges, mais la mode elle-même de son haut piédestal : on ne parle plus de franges d'or, de pierreries, de lourds brocards. Les femmes cessent de ressembler en leur portrait à des Junons. Les robes volantes, les pointes de dentelle dont s'orne une tête désormais petite et bouclée, les longues tailles fines qu'enferme le busc, les mignonnes socques, les tissus légers et les teintes pastel qui enchanteront Watteau rendent la déesse Mode plus familière, et plus charmante. Les moralistes, qui auraient encore beaucoup à dire, font relâche, et l'on n'écoute plus guère les sermonneurs qui continuent à tonner contre les pelisses piquées et les robes sans manches. Marivaux admire en sa Marianne la science de la coquetterie, et les écrivains, de Diderot à Laclos, diront volontiers le charme du déshabillé galant.

Au lieu de juger le vêtement, on commence à chercher pourquoi et comment Ève la blonde a perfectionné la feuille de vigne. Mongogul, le sultan des *Bijoux indis-*

crets, sait que ce n'est point pour se protéger des intempéries ou par décence, mais bien par coquetterie et pour irriter la curiosité et le désir. Et considérant, comme Montesquieu, que "le rôle d'une jolie femme est beaucoup plus grave que l'on ne pense" et qu'il "n'y a rien de plus sérieux que ce qui se passe le matin à sa toilette", il propose à sa sultane favorite, l'aimable Mirzoza, un instrument sophistiqué qui l'aidera à résoudre ses problèmes de parure. Il s'agit d'un orgue qui s'inspire du célèbre orgue des couleurs inventé par le Père Castel, jésuite, qui y jouait des symphonies de couleurs. Voici le mode d'emploi de l'orgue de Mirzoza : une pièce de votre ajustement étant donnée et sa couleur, vous frappez un certain nombre de touches qui vous donnent les harmoniques de la couleur initiale et déterminent les teintes des autres parties de la toilette. Mirzoza n'a qu'à consulter ce minitel Louis XV pour s'habiller dans la *modulation;* elle peut même se jouer des "ariettes d'ajustements notées avec la basse chiffrée".

Telles sont les aimables spéculations que la toilette inspire à Diderot. Les spéculations de Voltaire, quelque vingt ans plus tard, sont moins gratuites, et même carrément payantes. Fabriquant à Ferney des bas de soie et des diamants reconstitués (déjà Burma !) appelés *jargons* (à l'enseigne des lettres et de la Mode réunies !), il propose sa marchandise à ses puissantes amies, la marquise du Deffand, la comtesse d'Argental, la duchesse de Choiseul. A cette dernière il écrit, en lui envoyant des bas et lui demandant de trouver des débouchés : "Daignez les mettre, Madame, une seule fois; montrez ensuite vos jambes à qui vous voudrez, et si on n'avoue pas que ma soie est plus forte et plus belle que celle de Provence et d'Italie, je renonce au métier; donnez-les ensuite à une de vos femmes; ils lui dureront un an". On ne s'étonnera pas que Voltaire proteste contre les lois somptuaires qui entravent l'industrie, mais il donne à sa protestation un motif moins intéressé : "Toute loi somptuaire est injuste en elle-même; c'est pour le maintien de leurs droits que les hommes se sont réunis en société, et non pour donner aux autres celui d'attenter à la liberté que doit avoir chaque individu de s'habiller, de se nourrir, de se loger à sa fantaisie".

"Le pauvre y vit des vanités des grands".
Voltaire.

"S'il n'y avait point de luxe,
il n'y aurait pas de pauvres".
Rousseau.

Voltaire manufacturier ne fait qu'illustrer la théorie dont il s'est voulu en France le vulgarisateur dans *le Mondain* (1736) : reprenant les idées des *mercantilistes* anglais, William Petty et l'auteur de la *Fable des abeilles,* Mandeville, il s'y fait l'apologiste de la vanité et du luxe qui enrichit les États. La morale a fait place à l'économie sociale. A partir de là, le superflu, "chose si nécessaire", ne cessera d'avoir des avocats, Restif de la Bretonne, Sébastien Mercier, et naturellement bien des auteurs du XIXe siècle, Adam Smith ayant apporté à la théorie des arguments nouveaux dans son *Enquête sur la nature et les causes de la richesse des Nations* (1776).

Parmi tant de voix favorables au luxe, il fallait, pour troubler la fête, la voix du Genevoix ami de la Nature. Rousseau envoie son Saint-Preux à Paris dans les années 1735-1736 (Rousseau, lui, y est arrivé en 1742 et il écrit *la Nouvelle Héloïse* de 1757 à 1761). L'amant de Julie, à sa demande, s'intéresse à la mode parisienne et à sa diffusion : la mode naît à la Cour, note-t-il, mais elle est suivie à l'instant à la Ville, et fort bien, tandis que les provinciales et les étrangères "ne sont jamais qu'à la mode qui n'est plus". Mauvaises élèves ? Non, plutôt trop appliquées : les Parisiennes, écrit Saint-Preux, "sont, de toutes les femmes, les moins asservies à leurs propres modes. La mode domine les provinciales, mais les Parisiennes la savent plier à leur avantage. Les premières, les provinciales, sont des copistes ignorants et serviles qui copient jusqu'aux fautes d'orthographe; les autres sont des auteurs qui copient en maîtres, et savent rétablir les mauvaises leçons''. Saint-Preux doit reconnaître qu'à Paris la parure est plus recherchée que magnifique, qu'il y règne plus d'élégance que de richesse, et en tout cas de la propreté : ''Ni galons, ni taches''. Et à peu près les mêmes étoffes dans touts les états. Toutefois, malgré une certaine *desinvoltura* non dépourvue de charme qu'il reconnaît aux Parisiennes, il ne voit dans les salons que charmes frelatés, déguisements cachant des tailles mal faites. Ah! que sa Julie était donc plus belle avec sa vertu, et avec ''l'élégante et simple parure ornant des charmes qui n'en avaient pas besoin!'' C'est montrer quelque ingratitude envers ces fines mondaines de Paris, dont il prévoit avec raison que leur enthousiasme intelligent fera le succès de sa *Julie*.

''On attribuait à la philosophie moderne le tort d'avoir multiplié le nombre des célibataires; sur quoi M... dit : ''Tant qu'on ne me prouvera pas que ce sont les philosophes qui se sont cotisés pour faire les fonds de Mlle Bertin et pour élever sa boutique, je croirai que le célibat pourrait bien avoir une autre cause''.

Chamfort.

La mode, bonne fille, n'en veut pas à son détracteur genevoix, et lui rend le bien pour le mal en créant des robes de coton qui rapppellent la candeur des temps antiques et des bosquets de Clarens. Elle est en effet assez puissante pour se permettre des excès de simplicité comme de somptuosité. Cette élégance, que les dictionnaires — celui de l'Académie, celui de Trévoux — ne connaissent encore que comme recherche de style chez l'écrivain, elle est toute puissante en ce XVIIIe siècle. Le Persan parisien de Montesquieu disait déjà des Français : ''ils avouent de bon cœur que les autres peuples sont plus sages, pourvu qu'on convienne qu'ils sont mieux vêtus''. Les autres peuples ne marchandent pas cet aveu. L'élégance a sa rue, la rue Saint-Honoré, célèbre dans toute l'Europe où elle exporte ses poupées de mode, ''prototypes inspirateurs'', comme l'écrit Sébastien Mercier dans son *Tableau de Paris* (1781); elle a vu naître le premier journal de modes français en 1785, *le Cabinet des modes;* elle occupe cent mille mains à faire de la soie et de la dentelle, parmi lesquelles celles de soldats, invalides ou non, qui fabriquent au noir, et vendent tulle, gaze et marli, concurrençant les gens de métier, comme feront à la fin du XIXe siècle les bagnards et les prisonnières de Clairvaux. La mode a ses grands prêtres, ou plutôt ses grandes prêtresses, car tailleurs et couturières sont sortis de l'anonymat où les a longtemps tenus la division du travail imposée par les corporations, un seul habit exigeant la participation du pourpointier, du culottier et du chaussetier. Les corporations ne sont pas mortes, mais leur autorité est fortement battue en brèche, par les femmes en particulier. Et si le nom de *modiste* désigne encore les femmes du monde réputées pour leur bon goût en fait de toilette (Mme du Deffand, Mlle de Lespinasse), c'est-à-dire celles qui, aux siècles précédents, inventaient les modes et leur donnait leur nom, les vraies modistes,. tout le monde le sait, s'appellent maintenant Mme Pompée, Mme Éloffe (c'est elle qui a le mannequin de la reine Marie-Antoinette) et la célèbre Rose Bertin, qui règne sur la Reine et sur une douzaine de têtes couronnées. Delille, oubliant les jardins et sa condamnation du luxe, se fait pour elle le chantre de l'artifice :

> Quand Bertin fait briller son goût industrieux
> L'étoffe obéissante en cent formes se joue,
> Se développe en schall, en ceinture se noue;
> Du pinceau son aiguille emprunte les couleurs,
> Brille de diamants, se nuance de fleurs,
> En longs replis flottants fait ondoyer sa moire,
> Donne un voile à l'amour, une écharpe à la gloire.

Et les modistes accueillent en retour les suggestions des auteurs. Après 1784 et le succès du *Mariage de Figaro,* la chanson de Chérubin vaut à Beaumarchais de patroner des rubans, des coiffures, des gilets, des chapeaux *à la Malbourough;* les modes sont *à la Chérubin,* les justes (corsages) *à la Suzanne* et les gilets *au Figaro parvenu.* Après 1788, des ceintures et des mouchoirs représentent la cabane de Paul et l'allée des Pamplemousses. Les coiffeurs reconnaissent la gloire de l'Académie, et rivalisent avec elle en mettant sur leur porte *Académie de coiffure,* à ce que dit moqueusement Mercier, mais lui-même, moderne en ses goûts littéraires, jette un pont entre cette académie capillaire et celle du quai Conti, en comparant la perruque énorme du siècle de Louis XIV à la tragédie, qu'il qualifie de *bouffie* et de *boursouflée,* et la perruque légère du XVIIIe siècle à ce qu'il nomme le *drame vrai.*

"La pudeur des femmes n'est que leur politique."
Restif de la Bretonne.

On ne saurait parler chiffons sans prononcer le nom de Restif. Il adore la femme et son vêtement. Chroniqueur de la mode 1773-1774, il légende douze estampes d'un magnifique in-folio intitulé *Histoire des mœurs et du costume dans le XVIIIe siècle;* et dans son œuvre énorme il donne abondamment son avis sur les modes. Il milite pour le talon haut et fin, que lui paraît nécessiter la boue des rues si l'on ne veut pas être crotté, qui affine la silhouette, et qui excite vivement l'érotisme du promeneur qu'est M. Nicolas. Il est contre les baleines et les cosmétiques, qui abîment le corps et le visage. L'utopiste de *la Découverte australe* (1781) se moque de la toilette parisienne que revêt, pour épouser l'explorateur français, la belle Patagone Ishmichtris : bonnet en forme de frégate, fourreau à la Polonaise, et souliers de droguet blanc à la pointe très aigüe, plus force plumes d'autruche. Ultime concession, dans l'autre hémisphère, à l'élégance parisienne, car Restif, législateur de "ce vrai royaume d'utopie", impose à la communauté de l'Ile-Christine le vêtement égalitaire, vêtement de travail ou d'état, uniforme. Mais Restif a trop d'imagination pour ne pas se contredire. Que de coquettes dans son œuvre, de couturières, de coiffeurs dont il ne déteste pas la compagnie et auxquels il souhaite de pouvoir se livrer en paix à leur goût ou à leur art! Il arrive alors à l'utopiste d'hier de se déclarer contre les lois somptuaires, et pour ce luxe qui, *bourreau des riches* (Mercier), *impôt que l'industrie du pauvre met sur la vanité du riche* (Chamfort), fait heureusement refluer leurs biens entre les mains de l'artisan.

Restif vieux aura à se plaindre des modes nouvelles. Il a soixante-trois ans en 1797, et il n'aime pas les longues robes qui "ensaquent" les Merveilleuses, avec la taille remontée sous la poitrine et les chiffons "bourriffés" qui montent jusqu'à la bouche. Il déteste les bas de couleur et, on s'y attendait, les souliers plats à bout rond qui "homassent" les femmes. Il déteste les Incroyables et leurs hauts "licols scrofuleux". Il déteste que les vêtements des deux sexes tendent à ne plus se différencier : "la femme à chapeau d'homme, à culottes, a le caractère dur, impérieux, inaimable, insociable. L'homme à souliers pointus est un fat, un efféminé, un bagatellier, et souvent pis encore : un pédérastomane". Et il appelle sur ces Sodome et Gomorrhe modernes les foudres du Pouvoir : "Sévis, sans crainte, sans ménagement, pouvoir exécutif, contre ces mauvais sujets, et sois sûr de ne frapper que le vice, caché sous le masque du ridicule".

Ce n'était pas aussi fou que cela en a l'air de s'adresser au Directoire pour cette affaire de chiffons. La Convention, en effet, dans son vaste programme, ne les avait pas oubliés. Elle avait réalisé le vœu de Voltaire et de tant d'autres en écrivant dans la loi ce qui était déjà dans les mœurs : le décret du 8 Brumaire an II dit : "Chacun est libre de porter tel vêtement ou ajustement de son sexe qui lui convient", abolissant ainsi le costume de classe. Un écrivain fait état de ce décret, Senancour : dans *Obermann* (1804), il se réjouit de voir sa mise laissée au soin de chacun. Du même coup, il s'inscrit en faux conte les grincheux (en qui il croit reconnaître d'anciens libertins) qui vitupèrent les blanches mousselines, il est vrai un peu transparentes, et applaudit à la mode nouvelle qui libère le corps. Autre admirateur d'une mode qui se veut antique,

Bernardin de Saint-Pierre, dans le Préambule d'une nouvelle édition de *Paul et Virginie* en 1808, s'écrie lyriquement : "Ô Française, c'est pour vous que l'Indienne donne aujourd'hui la transparence au coton et le plus vif éclat à la soie! Ce fut pour vous que les filles d'Athènes imaginèrent ces robes commodes et charmantes, si favorables à la pudeur et à la beauté, que le sage Fénelon trouvait bien préférables à tous les costumes gênants et orgueilleux de notre ancien régime. La Révolution vous en a revêtues, et elles ont ajouté à vos grâces naturelles".

Bien que la littérature soit tombée en quenouille sous le Consulat et l'Empire, la mode nouvelle, non plus que la splendeur des habits de cour et des uniformes, ne se reflètent guère dans les œuvres des romancières, à part Mme de Staël décrivant, non sans narcissisme, les robes de Corinne. Une exception masculine : Fiévée, dans *la Dot de Suzette,* conduit son héroïne chez le couturier Leroy. Sous l'Empire, la mode prend sa revanche dans le journal de mode, seule sorte de littérature journalistique que tolérât Napoléon. La Restauration, fidèle à la ligne Empire, ne fait que lui ajouter quelques sévérités importées d'Angleterre, et la mode ne trouvera qui la décrive qu'après 1830.

Dans ce survol de deux siècles et demi, nous avons rencontré bien des textes sur la mode, mais rarement la robe elle-même que nous connaissons par les peintres, Watteau, de Troy, Lancret, Nattier, Latour. C'est ce que déplore, à la veille de la Révolution, Sébastien Mercier : Qui les a empêchés, ces écrivains, demande-t-il, de peindre "la sphère mouvante des modes"?

Oui, en 1830, la mode est encore à créer en littérature. Enfin Balzac vint.

III

Balzac pape de la modiphilie

"La pensée intime, celle du moment, se révèle par l'habillement et ce ne sont pas des expressions tout à fait dénuées de sens que ces dictons populaires : l'habit de rôt, l'habit de conquête."

Balzac.

En 1833 Carlyle, se présentant dans son *Sartor Resartus* comme l'éditeur d'une *Philosophie des vêtements* due à l'imaginaire Diogène Teufeldroëck, assigne à ce pseudo-ouvrage la date de 1831. Que n'a-t-il écrit 1829 ? Du coup son philosophe idéaliste allemand pourrait passer pour le fondateur de la *clothes-philosophy* ! Il n'en est rien. Car, en novembre 1830, un certain Balzac a publié, dans *la Mode* d'Émile de Girardin, un *Traité de la vie élégante* qui définit ce que Carlyle appelle l'*esprit des vêtements.*

Balzac a fait son éducation, en fait de mode et de mondanité, chez les auteurs de notre préhistoire : il a trouvé avant tout chez eux des jugements, et la distinction établie par les philosophes et les moralistes entre *l'être* et le *paraître.* Et comme tout bon jeune homme qui a fait ses classes, il oscille entre Voltaire et Rousseau. Dans les *Notes philosophiques* de ses dix-huit ans, il se prononce pour "le luxe qui renferme tous les arts", mais quatre ans plus tard, dans son premier roman ébauché, *Falthurne,* il célèbre les temps "où l'on ne connaissait pas le fard, la soie, ni le linge (et pour faire bon poids il ajoute même le savon!). Encore quelques années et il s'en prend dans *Wann-Chlore* aux jeunes filles "harnachées de plumes, de parures et de colliers".

Certaines lectures adouciront définitivement l'ennemi des bijoux et des marabouts. En particulier celle des romanciers anglais, très à la mode en France avant 1830, comme tout ce qui est anglais. De l'Angleterre, on n'avait connu, au retour de l'Émigration, que le ridicule des turbans à la Mme de Staël. Quinze ans plus tard, les choses ont bien changé, et pour longtemps : l'Angleterre est devenu le pays du confort et de l'élégance. Tout un siècle se fera, au masculin, habiller à Londres et il sera du dernier chic de faire blanchir son linge sur les gazons du Lincolnshire. Dans la seconde moitié du siècle, les femmes *chics* feront venir d'Outre-Manche les tissus de leurs robes, leurs manteaux, et jusqu'à leur chemise. Et ce n'est pas fini d'une anglomanie qui prend à chaque génération un visage différent, se recommandant suivant le temps de Saville Row (la rue des tailleurs) ou de Carnaby street! Notre histoire littéraire de la mode tiendra tout entière entre deux mots anglais, la *fashion* et le *look*.

Les romancières anglaises, Balzac les a lues dans les traductions qu'en donne une Irlandaise de Paris, Mme Swanton-Belloc, à qui il envisagea en 1833 de demander une préface pour ses *Scènes de la vie privée*. Les romans de Miss Edgeworth et de ses émules proposaient aux lecteurs des scènes de cette *high-life* qui ne cessera au XIXe siècle de faire l'admiration des Français, et surtout des artistes amoureux de l'élégance, comme Gavarni, qui s'imaginait trouver à Londres la dernière aristocratie du costume (y compris voitures, armes, et uniformes, dans les défilés où ils resplendissent) : "quelque chose, dit-il, comme la cour d'Holbein".

Mais plus qu'aux romancières, dont les tableaux mondains s'assortissent d'une critique du paraître et de son hypocrisie, Balzac doit aux auteurs masculins de ce qui se nomme le roman *fashionable,* Bulwer-Lytton (*Pelham ou les Aventures d'un gentilhomme anglais, Lister*), ou Lord Normanby (*Granby, les Exclusifs*), qui nous font assister aux grandes heures de la *haute vie :* promenades du matin à Hyde Park, visites, dîners, raouts, mariages, festivités à Cheltenham, — mais aussi aux élégances de la vie intime, toilette du dandy et défilé des tailleurs convoqués. Car le roman fashionable est avant tout le roman du dandy, placé sous le patronage de l'impeccable Brummell. Le Beau paraît même dans *Lister* et dans *Pelham* (sous le nom de M. Russelton) pour dicter les principes de l'élégance, interdire les habits rembourrés, et le gilet blanc le matin. Brummell, qu'avaient aussi fait connaître en France les *Mémoires* (traduits en 1825) de la courtisane Harriet Wilson, patronnera le *Traité de la vie élégante.*

L'influence du Beau aidera Balzac à se hausser au-dessus d'une abondante littérature didactique et d'observation (à laquelle il a d'ailleurs contribué) qui procède, entre 1825 et 1830, de l'intérêt nouveau pour l'apparence révélatrice, intérêt qui vient de la lecture du philosophe et théologien zurichois, Lavater, auteur de la *Physiognomonie.* Mais la veine du *Traité* n'a plus grand chose à voir avec ces codes, arts, physiologies, manuels et autres vademecum des Marco Saint-Hilaire, des Ronteix et des Raisson qui enseignent à un jeune homme soucieux de faire son chemin dans le monde une propreté puérile et honnête. Sinon un certain ton didactique, qui chez Balzac devient ironique, le conseil se faisant commandement, dogme, voire excommunication.

Pour s'élever au-dessus de cette littérature bourgeoise, Balzac trouve, dans le journal où paraît le *Traité,* des appuis et des incitations. *La Mode,* en effet, placée dès sa fondation en 1829 sous le haut patronage de la duchesse de Berry, se veut parisienne, mondaine, aristocratique. Elle prend le contre-pied des nombreuses publications de modes de l'époque; son principal repoussoir, c'est le *Journal des dames et des modes* qui, depuis trente-cinq ans, survivant à tous les régimes, catéchise les dames de province par la plume de son directeur, l'ex-abbé de La Mésangère, leur impose les commandements des grandes *faiseuses,* leur fournit les bonnes adresses, et leur propose de suggestives poupées coloriées qui leur permettront de faire copier le modèle par une couturière locale, comme fait Dinah de la Baudraye dans *la Muse du département.*

La Mode, s'inscrivant en faux contre le journal de la Mésangère, récuse la tyrannie des *modistes,* remet à sa place la technique couturière, invite sa lectrice à n'être plus un docile porte-manteau, mais à imposer sa propre élégance, à prévoir et à devancer la mode, à la quitter avant qu'elle ne devienne celle de tout le monde. Le journal lui propose aussi, une fois résolue la question chiffons, de parer son esprit.

Conçue pour un grand monde à dominante aristocratique, *la Mode* ne change pas de ton, même lorsqu'après la révolution de 1830 les journaux de mode se croient obligés de s'intéresser aux uniformes des gardes nationaux et aux atours tricolores des Parisiennes patriotes. Le *Traité* reflète l'esprit aristocratique, l'horreur de la lèpre bourgeoise, le mépris du travail, fût-il ouvrage de dame. Axiome : "la femme qui brode son tablier ne sera jamais élégante". Guerre déclarée à tout ce qui se fait remarquer, à ce qui pèse, à ce qui pose, à ce qui sent l'ennui du quotidien et la vulgarité de l'exceptionnel, à tout ce qui évoque l'argent, le placement, le solide fond de garde-robe, à tout ce qui veut être trop respecté. Guerre aux lourds velours, chéris des provinciales et des dames boutiquières. Guerre au châle Ternaux, bâton de maréchal des bonnes épouses, comme, à une époque plus proche de nous, le manteau d'astrakan! Place aux tissus clairs, simples et immatériels, à la percale pékinée rose, à la blanche mousseline des Indes et à l'organdi Lamartine! Et vive la parfaite harmonie du vêtement avec les heures mondaines, *négligé habillé* du matin, redingote de promenade ou de visite, robe décolletée du bal. Axiome . "Une femme élégante s'habille trois fois par jour".

Si son ouvrage reflète l'esprit du journal, Balzac ne procède que de lui-même dans l'exposé des raisons historiques, sociales, politiques et économiques qui ont fait émerger au XIXe siècle l'idée d'élégance; le *Traité* est dans la ligne de ses précédents ouvrages ou articles, *Du droit d'aînesse, Code des honnêtes gens, La Vie de château, Nouvelle théorie du déjeuner, Les mots à la mode* et surtout la *Physiologie du mariage.* Comme la *Physiologie,* le *Traité* reconnaît l'existence d'une classe sacrifiée, déformée par le travail, et celle d'une "démocratie de riches"; car, avant d'être une fantaisie sur le chiffon, le *Traité* se présente comme une analyse du monde comme il va. Analyse conçue à partir d'un vaste panorama de la société française depuis la féodalité jusqu'au règne bourgeois de Louis-Philippe; et pas seulement, comme il serait normal dans un texte publié après la "révolte de juillet" (comme on dit dans les châteaux), à partir de la nouvelle situation créée par cette *révolte.* Balzac proclame un des premiers, avec un cynisme qui n'est que de la clairvoyance, que ces journées (traditionnellement nommées Glorieuses) n'ont rien changé, qu'elle n'ont fait qu'entériner la puissance de l'argent. C'est 1789 qui a opéré le grand bouleversement, remplacé, comme moyen de domination de l'homme par l'homme, la force brutale par l'intelligence. Cependant que continuent à s'affronter — et à jamais — les riches et les pauvres. Opposition autrement intéressante que celle du légitisme et du républicanisme, thème obligé des journaux après Juillet.

Cette constatation entraîne celle du caractère inéluctable des distinctions, qui reconstituent constamment les hiérarchies : une vie mondaine renaît finalement de tous les déménagements politiques, et de la "brusque absence d'étiquette" qui les suit, car elle se fonde sur la vanité, et sur le désir trop humain de se distinguer des autres. D'où la nécessité de l'élégance. Nécessité que Balzac trouve également inscrite dans le décret de la Convention : le costume, qui était coutume, n'a échappé à l'immobilisme et aux cloisonnements tyranniques que pour tomber dans l'uniformisation, d'où l'on ne peut se sauver que par les imperceptibles nuances, le *je ne sais quoi,* qui restaureront la chère inégalité. D'où la mode, et l'élégance.

"La matière sur laquelle Tote [Chanel] travaille n'est autre chose que l'ennui universel".

Marthe Bibesco.

Cette conception de l'élégance s'appuie sur la réalité sociale : successivement, 1789, la vente des biens nationaux, la suppression du droit d'aînesse, ont divisé les fortunes, supprimé la famille, aboli les longs projets; en sorte que l'art monumental et perdurable des grandes civilisations va devoir céder la place à l'élégance, ornement quotidien et vanité de l'individu. Ces prolégomènes justifient Balzac de se faire le professeur d'élégance d'une nouvelle société mondaine. C'était déjà pour la classe oisive qu'il aménageait, dans sa *Physiologie,* l'institution du mariage, en légiférant sur les accessoires de la vie. C'est encore pour la classe oisive qu'il aménage le loisir élégant. Là, tout est à inventer, puisque l'élégance est née sur les ruines de l'Ancien Régime, qui n'a connu que le luxe. Or le luxe n'est jamais un ensemble, une harmonie; les temps nouveaux veulent à la fois moins et plus, quelque chose de plus dispendieux en tout cas. Car l'élégance, "luxe de simplicité", ne consistera plus dans la seule possession d'un grand nom, d'un bel hôtel, d'une œuvre d'art ou d'un diamant gros comme le Koh-i-nor, mais dans une "large entente de l'existence". Balzac veut donner au mot toute son extension : l'élégance régira non seulement le vêtement et ses accessoires, tout ce qui étend dans l'espace le corps vêtu, canne pour l'homme ou, pour la femme, cassolette, éventail ou lorgnette; mais le salon, l'hôtel, la voiture, tous ces écrins-gigognes qui protègent la femme élégante, l'annoncent, la révèlent, prolongent sa présence et sa puissance, "l'encadrent dans son analogie", comme dira plus tard Baudelaire; car il faut que l'ensemble de ces objets "concorde avec notre physionomie, avec notre destinée".

L'élégance s'étendra évidemment à la manière de porter le vêtement, qui est plus importante que le vêtement même, aux gestes, à la démarche, voire à la danse, aux manières, à la voix et jusqu'à la conversation, considérée comme "la partie morale de la toilette, qui se prend et se quitte avec la toque à plumes" et qui a aussi partie liée — Chamfort l'a dit, et Mme Rabourdin, dans *les Employés,* le sait — avec la beauté d'un salon et la couleur de son meuble. Pour la première fois, il est demandé à l'élégance d'être *harmonie, unité, ensemble, système.* On a reconnu les maîtres-mots de l'architecte de *la Comédie humaine.*

Si Balzac avait achevé son "encyclopédie aristocratique", cette unité serait apparue, mais le *Traité* en est resté au Principes généraux de la vie élégante, et aux lois qui régissent le vêtement; lequel intéresse tout particulièrement l'époque : en 1829 et au début de 1830, la question du vêtement est soudain à la une de l'actualité, aussi bien chez les auteurs de drames historiques que chez les artistes. Devéria commence sa célèbre galerie de costumes historiques, et plusieurs ouvrages paraissent sur le vêtement depuis le début de la monarchie française.

Au goût du déguisement et de la coquetterie s'ajoute, à l'époque de la bataille romantique, et de la révolution, le désir de se distinguer du philistin ou de l'adversaire politique. Au chapeau rouge du *bousingot,* au chapeau *à la Buridan* de l'artiste, au port de la moustache, de l'impériale, des favoris ou de la barbe s'attachent, comme à la coupe de l'habit, des significations politiques. Dans cette anarchie vestimentaire, où s'opposent la recherche tapageuse de couleurs flamboyantes et la discrétion de l'habit noir faisant ressortir la blancheur éblouissante du linge, *la Mode* a déjà fait son choix, et les livraisons du journal déjà parues contiennent, dans des articles d'Hyppolyte Auger ou de Balzac lui-même, tout un corps de doctrine. La mise en scène du *Traité* n'est pas gratuite, qui ouvre aux lecteurs et lectrices les portes de la salle de rédaction sur le spectacle des journalistes, Girardin, Balzac et les dandys Lautour-Mézeray et Auger, ami et allié du modiste Leroy, en train de discuter, devant une tasse de thé, le plan du *Traité,* et inventant ce qui fera le charme de la *presse à quarante francs,* et plus tard des journaux de Villemessant : l'interview d'un homme célèbre.

Ici l'homme célèbre, c'est Brummell, et voici nos journalistes se transportant à Boulogne, où ils trouvent le Beau en exil et sérieusement décati, enveloppé dans sa robe de chambre, tel que l'avait décrit Harriet Wilson. C'est lui qui fournit le plan du *Traité,* imposant aux rédacteurs de commencer par ce qui l'avait si fort occupé toute sa vie, la toilette.

Cette interview est imaginaire : c'est à Calais, et non à Boulogne, que depuis 1821 Brummell vivait à l'hôtel Dessein; et, en octobre 1830, il était d'ailleurs en train de quitter ce lieu d'exil pour rejoindre Caen, où le successeur de son ami-ennemi George IV (mort en juin 1830) venait de le nommer consul. Et il passait naturellement par Paris, y voyait son ami l'ambassadeur Stuart de Rothesay, y augmentait sa collection de tabatières et visitait certains salons comme celui de Nodier, où Balzac aurait pu le rencontrer. Cette rencontre, qu'on ne peut prouver, n'est point indispensable à notre propos. Balzac n'a pas interviewé Brummell, mais Brummell avait consigné ses idées dès 1821 dans un traité sur l'élégance vestimentaire. Le Beau s'y fait le théoricien et le législateur de la mode en deux chapitres, sur le costume masculin et féminin. Au fil des années, entre deux rangs de tapisserie, il avait illustré son ouvrage de gravures découpées dans des livres ou des journaux, collées sur des feuilles blanches, et coloriées ensuite à l'aquarelle. Ce traité est resté inédit jusqu'en 1932, date à laquelle il a été publié à New York par Eleanor Parker.

Cet ouvrage, Balzac n'avait pu le lire, mais les axiomes de Brummell avaient filtré, inspirant trois longs chapitres de *la Mode* intitulés *Principes du costume, Harmonie des couleurs, Costumes d'hommes,* qui reproduisent presque littéralement Brummell, sans le nommer. Balzac, lui, le nomme en reprenant ses idées sur l'harmonie des teintes et sur les rapports entre vêtement et architecture (cette dernière idée se retrouvera trois ans plus tard chez Carlyle, qui s'inspire aussi de Brummell). Balzac écrit dans le dossier préparatoire du *Traité* : "Les préceptes de l'architecture s'appliquent presque tous à la toilette. En effet elle est en quelque sorte l'architecture de la personne. Ainsi toute toilette doit être dominée par ces principes fondamentaux, que rien ne peut y entrer qui ne soit fondé sur un besoin, que tout ornement inutile est de mauvais goût, que les proportions entre l'ornement et l'ensemble doivent être sérieusement gardées, et que la simplicité l'emporte sur la richesse".

Naturellement tous les axiomes empruntés à Brummell vont dans le sens de la sobriété: habit noir, beaucoup de linge et très blanc. Et ne pas se faire remarquer. Avec Balzac, la mode, placée sous le patronage du Beau, cesse d'être cette frivole, arbitraire et tyrannique déesse que fustigent les moralistes, et qui fait encore plier sous sa loi les dandys de Besançon et les élégantes de Saumur, lesquels font venir leurs modes de Paris. D'ailleurs, à ce mot de *mode,* qui fait penser aux modes et à leurs marchandes, *aux nouveautés* et *articles de Paris,* l'auteur du *Traité* préfère celui de *fashion,* qui occulte le caractère mercantile de la toilette, et garde quelque connotation nobiliaire de l'expression *people of fashion,* qui désigne les *gens de condition.*

Or seuls les gens de condition savent ce qu'est la mode. D'entrée de jeu, il est exclu que l'on puisse enseigner l'élégance, qui est instinct et habitude, à quiconque n'est pas *né,* né du moins dans l'oisiveté. On songe à Baudelaire revendiquant le loisir comme le seul état où la pensée et le goût soient pleinement libres. Axiome : "Un homme devient riche, il naît élégant", ou encore : "le goût est un éclair". Aussi l'amusante et cynique description de l'échelle sociale par laquelle s'ouvre le *Traité* rejette-t-elle dans les ténèbres extérieures quiconque travaille, ou a travaillé. Trois ans plus tard, l'auteur de *la Duchesse de Langeais,* dans le même esprit, accordera à une aristocratie idéalement élargie, comme en Angleterre, à l'argent et au talent, le rôle, qu'il juge irremplaçable, de représenter l'intelligence et le goût, d'être la tête du corps social, sa *pensée.*

Car c'est bien de pensée qu'il s'agit dans l'élégance. Balzac croit, comme un Balthazar Gracian, que "l'esprit et le goût sont comme deux frères". Et l'on songe aussi au mot de Byron sur Brummell, que son habit avait "l'air de penser". C'est ce qui explique que, parmi ses élus de l'élégance, l'auteur du *Traité* mette à égalité les aristocrates oisifs et les artistes occupés, mais qui sont les enfants chéris de la Fantaisie. Toutefois pour Balzac, c'est surtout chez la femme que "la toilette est la traduction d'une pensée", qu'elle "reflète une idée". D'ailleurs, en épigraphe au *Traité,* se lit le fameux *Mens agitat molem* de Virgile (c'est l'esprit qui imprime son mouvement à la matière) pour annoncer le vêtement spiritualisé.

"Je veux dire que la ligne a quelque chose d'irréel que n'a pas la couleur — il y a plus d'âme."

Jean de Tinan.

Concrètement, Balzac installe l'intelligence au cœur de l'élégance en privilégiant la *coupe,* qui ressortit à l'architecture et qui, dira Carlyle, "marque l'intelligence et le talent, par rapport à la couleur (condamnée dans notre *Traité* lorsqu'elle est violente ou multiple) laquelle, toujours selon le philosophe anglais, "révèle le caractère et le cœur", mais a aussi à voir avec la sensualité. Enfin l'élégance, "le premier des arts pour une femme", écrit Balzac, et d'ajouter "et souvent le seul", est liée à l'intelligence par la lucidité, la parfaite connaissance de soi-même qu'elle suppose, qu'elle exige. Qui bien se connaît, bien s'habille.

Pour rester dans le concret, il me semble que Balzac *élégantologiste* a été inspiré par la mode de son temps, car elle va dans son sens en faisant chez la femme la part belle à ce qui est, si je puis dire, l'étage noble du corps, celui de la tête et du cœur. Tout le monde voit cette silhouette 1830 : le bas bien séparé du haut par la haute ceinture à haute boucle qui dessine une taille de guêpe. La jupe-cloche, dont on sait que la mode n'a pour ainsi dire pas changé en plus de vingt années, n'est qu'un piédestal. L'axiome XXXVI du *Traité* : "L'ornement doit être mis en haut" lui interdit, au nom du bon goût, toute velléité de bouillons, rouleaux, faux-ourlets, crépines, passepoils et autres *pansements* historiés : point de tournure, dont la fin du siècle "animera" la jupe. Et défense est faite, dans le *Traité,* de la relever pour marcher, monter ou sauter. La jupe ne saurait être que l'auxiliaire de la pudeur, de la vertu : "Il y a des mouvements de jupe qui valent un prix Montyon"!

Donc rien pour la jupe, tout pour le corsage : le corsage, fleur qui, en 1830, se déplie à partir des drapés-croisés de la taille, s'épanouit dans les jockeys en pétales ou en éventail des épaules, dans les manches ballons, à gigot, en sabot, en béret; dans les pélerines et canezous de dentelle, dans ces collets angéliquement nommés *ailes.* Cependant que la tête se fait céleste, *aérienne* (c'est le nom d'une coiffure 1830), dans un envol de fleurs et de papillons, de blonde et de plumes, sans oublier ces marabouts retenus par un bijou et qui sont si joliment dits en 1830 des *esprits.*

Oui, tout ici est esprit, réellement et même par défaut, le parfum, chose sensuelle, étant pour lors banni; et inconnues, sauf des actrices, les provocantes ressources du maquillage.

De cette imagerie couturière, remontons au système de la mode. Car Balzac n'est pas de ceux (qu'il traite de sots) qui ne voient dans la mode que la mode. De la mode, il a vu les implications économiques, les diverses fonctions, et les problèmes psychologiques, moraux même, qu'elle soulève. L'aspect économique est encore peu de chose en 1830, car la mode ne concerne qu'une infime partie de la population, le plus grand nombre ne pouvant prétendre qu'aux vêtements d'occasion, à la *friperie*; elle n'a pas encore à voir avec les balances commerciales et les crises industrielles. Toutefois, au début de l'hiver 1830-1831, tous les journaux de mode lancent un cri d'alarme, car la simplicité de la nouvelle famille royale, jointe au vent d'égalitarisme qui souffle et à l'absence de l'aristocratie, qui est restée à bouder, dans ses terres, la révolte de juillet, risque d'enlever leur pain aux brodeurs, passementiers et autres artisans qui travaillent dans l'article de luxe. Et de supplier les princesses et leur mère, et leur tante, de ne point donner l'exemple d'une austérité qui ruinerait le petit peuple parisien.

Balzac *modimane* partage ces craintes, mais sa réflexion dépasse ces circonstances immédiates. Il est pour la mode parce qu'elle représente la circulation de l'argent, parce que la richesse d'un peuple est fonction des besoins qu'il se crée, parce qu'il déteste l'immobilisme et que, quels que soient ses choix politiques, il penche toujours vers le parti du *mouvement*.

Quant aux fonctions du vêtement, le *Traité* les retrouve à la faveur d'une classification qui se souvient du dictionnaire de Trévoux : *se vêtir* pour se préserver du froid; *se parer* pour se faire beau; *s'habiller* pour se distinguer des autres. Axiome : "La brute se couvre, le riche ou le sot se pare, l'homme élégant s'habille". Sans vouloir faire de Balzac *modaliste* un ethnologue avant la lettre, découvrant la propriété de la fonction parure — tatouages, scarifications et colliers de coquillages — sur la fonction utilitaire, il faut reconnaître que sa hiérarchie couturière, pour ne rendre compte que de la hiérarchie sociale de son temps, n'en est pas moins éclairante.

"Il cherchait à imaginer tout ce corps sous la protection de la robe inviolable et de la jupe sacrée".

Valéry Larbaud.

Une réflexion sur la toilette rencontre forcément l'opposition entre les fonctions complémentaires du vêtement : montrer, cacher. Dialogue du visible et de l'invisible qui, sur le plan psychologique et moral, devient celui de la multiplicité et de l'identité, de l'apparence et du réel. Le romancier de *la Comédie humaine,* comme le théoricien du *Traité,* ne retrouve ces oppositions que pour les résoudre. Le lecteur de *la Comédie humaine* se rappelle le jeu de cache-cache entre le corps et le vêtement, où la fonction sexuelle du vêtement — pour parler moderne! — trouve à s'exprimer. On se souvient de ces robes sages, de ces fichus modestes mais un peu trop ajourés, de ces peignoirs du matin négligemment croisés (voire de la housse informe d'un *domino*!) qui *dessinent, moulent, ne cachent point, ne réussissent pas à déguiser, laissent soupçonner, entrevoir* ou *apercevoir* (ce sont là expressions abondamment récurrentes), laissent donc apercevoir les beautés de la taille, de la gorge, des épaules. Dans cette aimable confusion entre l'épiderme et cette seconde peau qu'est le vêtement, l'amoureux spectateur romanesque qui nous vaut cette description trouve son compte, cependant que le narrateur-descripteur saisit l'occasion d'illustrer la réconciliation opérée dans le *Traité* entre les prétendus mensonges du vêtement et ce qu'il couvre, entre l'apparent et le vrai. Réconciliation qui s'opère pratiquement par l'importance donnée aux dessous, qui commandent le dessus. Axiome : "Quand une femme n'a plus que sa robe à passer, on peut hardiment prononcer si elle sera bien ou mal habillée" (Colette dira : "être prête en dessous"); par le rôle accordé au linge, à une blancheur (qu'il s'agisse de la chemise, du gilet ou de la cravate) sur laquelle on ne peut tricher. La grande qualité recommandée est la fraîcheur, celle de la peau assouplie par le bain, de l'haleine et de toute la toilette.

L'écueil de l'élégance, ce sera le mensonge condamné comme *vicieux.* Axiome : "Il faut que chaque chose paraisse ce qu'elle est". La toilette ne devra jamais chercher à cacher un défaut physique. Interdiction qu'illustrera la sévérité du narrateur à l'égard de Béatrix de Rochefide utilisant, pour cacher un buste et un cou maigres, les mensonges du tulle-illusion. Le *Traité* comporte en somme une morale de l'élégance, jugée incompatible avec la tricherie, la vanité et même l'impolitesse, et qui s'exprime sur le mode dandy dans l'axiome final : "Une déchirure est un malheur, une tache est un vice". L'idée de Balzac, c'est non seulement que l'apparence doit coller à la réalité comme le vêtement moule le corps, mais que, de toute façon, l'apparence est toujours vraie pour qui sait voir. Considérée comme un art véritable, l'élégance partage avec l'art littéraire, nous l'avons vu, la propriété d'être la nature ornée, la *réalité* élevée par l'art à la *vérité.* Ainsi s'opère dans l'être élégant le passage d'un naturel au degré zéro à un naturel recréé par l'éducation des manières et l'art de s'habiller. Ce qu'illustre le très joli portrait de l'être idéal que propose le *Traité,* et, trois ans plus tard, celui d'Antoinette de Langeais. Êtres vrais, naturels, et même identiques à eux-mêmes sous les vêtements multiples, les attitudes et les âmes diverses qu'éveillent en eux les diverses circonstances. Êtres souples, et aux ressources infinies, selon l'idéal du Corteggiano.

En un mot, l'habit fait l'homme et la femme, et pas seulement le moine du proverbe allemand. N'insistons pas sur l'aspect trop connu du vêtement comme signe et symbole, encore que ce soit là un acquis du *Traité.* Axiome : "Le vêtement est le plus énergique de tous les symboles"; ni sur le côté hiéroglyphique de la toilette à décrypter. Mais pour Balzac, l'homme ne commence vraiment qu'à l'*homo vestitus.* Axiome : "La toilette est la plus immense modification éprouvée par l'homme social". Balzac se place dans le courant de pensée qui, de Hegel à Alain, en passant par Auguste Comte, croit que l'individu ne devient intelligible que vêtu. En somme, il ne saurait y avoir d'empereur nu! Axiome : "Rien ne ressemble moins à l'homme qu'un homme". Dans cette vision qui paraîtra peut-être élitiste, c'est l'élégance qui créé *l'homme de l'homme.* Expression que Balzac *modiphile* emprunte curieusement à l'admirateur de ces bons sauvages dont on croyait alors qu'ils allaient vraiment tout nus, Jean-Jacques Rousseau.

"cette dentelle métaphysique."
Barbey d'Aurevilly.

Inachevé, le *Traité* trouve un prolongement en 1833 dans la *Théorie de la démarche,* qui devrait être initialement un des chapitres du *Traité.* Telle qu'elle est, cette œuvrette n'a pas été reniée par l'auteur de *la Comédie humaine,* qui lui fait une place éminente, au troisième étage de sa pyramide, dans les *Études analytiques.* Tant pis pour le lecteur idéaliste qui voudrait rester sur les hauteurs philosophiques et immaculées de *Séraphita.* Balzac a voulu que l'ange redescendît faire la bête, mais le moins bêtement et le moins laidement possible, en ce bas monde : dans sa loge de l'Opéra ou au perron de Tortoni.

Le *Traité* est à l'origine de tous les articles et ouvrages sur l'élégance qui ont suivi. Les *Lettres parisiennes* du vicomte de Launay, alias Delphine de Girardin, parlent de la mode au jour le jour, en jugent dans l'esprit de Balzac. Parmi les guides, il faut nommer la *Théorie de l'élégance* d'Eugène Chapuis (1844), *la Vie élégante* de Mortemart-Boisse, qui cite Balzac sans le nommer et avec des fautes, et, au XXe siècle, *Savoir vivre en France et savoir s'habiller* d'Eugène Marsan, qui se place sous l'invocation de Balzac et choisit les épigraphes de ses chapitres dans *la Comédie humaine.* Mais un véritable écrivain, sans le voler et en lui rendant hommage, l'a mieux compris que personne, Barbey d'Aurevilly. Dans un article du *Pays* (22 juin 1853), il salue l'édition originale qui vient de paraître du *Traité de la vie élégante.* Il souligne que cet ouvrage "inaugure peut-être dans la littérature française du XIXe siècle un genre particulier de littérature qui a son nom depuis longtemps en Angleterre (la littérature fashionable ou de high life) et qui, n'existant pas en France, y débute grâce à Balzac par un chef-d'œuvre''. ''Personne avant lui, ajoute-t-il, n'avait eu l'idée d'un *Esprit des lois* de la vie élégante''. Je ne résiste pas à l'envie de citer la suite, qui remet à sa place l'imbécile gravité : ''La vie élégante, que les hommes soi-disants littéraires dédaignent, et qui paraît aux hommes graves si peu digne de ce superbe regard de myope qui les distingue et qui appuie sur toute chose sa lourdeur de plomb, cette vie avait eu, en France et en Angleterre — les deux seuls pays où elle soit possible — des peintres et des interprètes, mais, jusqu'à Balzac, personne dans ces pays n'avait pensé à en faire la législation et à en dégager la philosophie''. Cette merveilleuse ''intaille'', cette ''étincelante théorie'' dépasse, aux yeux de Barbey d'Aurevilly, ce qu'a produit de mieux l'*Île-aux-dandys.*

Le romancier Balzac procède du modiphile du *Traité de la vie élégante,* qu'il semble avoir donné à lire à ses personnages. Le parfait dandy de *la Fille aux yeux d'or* passe trois heures à sa toilette comme Brummell, et il fait bien. L'opposition entre la simplicité élégante et la lourde opulence bourgeoise trouve son illustration dans le bal Birotteau : un clivage s'établit entre les dames du haut commerce, pompeusement endimanchées, et les grandes dames en robes aériennes. Et la toilette trouve ses artistes géniales en Mmes de Langeais ou d'Espard, en Béatrix de Rochefide ou la princesse de Cadignan.

On a dit que les vêtements, dans *la Comédie humaine,* répondent souvent, jusqu'en 1836, à la volonté de symboliser l'âme des personnages ou leur état : bleu barbeau pour les bourgeois, et vert pour les militaires en retraite, robe rose ou blanche pour les jeunes femmes sages, et verte pour les vierges folles. En réalité, même dans cette première époque, Balzac se montre attentif à l'actualité de la mode. Ici s'affirme la dette de l'écrivain à l'égard de Gavarni rencontré à *la Mode,* Girardin l'ayant enlevé à La Mésangère, charmant vieillard collectionneur de portraits et de miniatures, intéressé par les costumes historiques et régionaux, et qui avait fait preuve de goût en demandant sa collaboration au jeune artiste qui dessina pour lui la suite des *Travestissements.* Il faut dire un mot de celui qui a peut-être été le plus grand dessinateur de mode du siècle. Il a vraiment inventé, pour *la Mode, le Charivari* et *le Journal du grand monde,* le dandy français engoncé dans ses vêtements carrés, cheveux en touffe sous le haut de forme *pointu,* et cette redingote vert myrte qui a trois plis de chaque côté dans le jupon; tenue 1830 que ressusciteront, trente et cinquante ans plus tard, Barbey d'Aurevilly, puis Montesquiou, ce qui valut à ce dernier le surnom de *Haricot vert.*

Gavarni devait rester fidèle à son type de dandy : il le défendra encore en 1851 devant Ward, l'ami de Dickens, qui rêvait d'une réforme vestimentaire. Gavarni dut être enchanté de se trouver, dans les bureaux de *la Mode,* en compagnie de jeunes auteurs, lui qui, toute sa vie, ne cessa de noircir des carnets, et qui eût aimé être écrivain. Très importante aussi pour Balzac la rencontre avec l'artiste à cette *Mode,* où Gavarni donne des études qui, diront les Goncourt, "apportent pour la première fois au rendu du détail du costume moderne l'application et la conscience que les artistes n'y avaient pas encore données". Les Goncourt parlent en connaissance de cause, eux qui ont sous les yeux les esquisses originales crayonnées (le contour arrêté à la plume, et rehaussé de lavis à l'encre de Chine ou à la sépia) qu'ils ont reçues en cadeau de la princesse Mathilde, elle-même les tenant d'Émile de Girardin.

"Ses plis parlent, sa coupe raconte, ses trous avouent."
les Goncourt.

Un dessin de Gavarni ne donne parfois qu'un détail, un bras sortant d'une épaulette, un bas de pantalon flochant sur des bottes, des mains en train de se ganter, le croisement de deux pieds, une semelle de botte; et c'est déjà toute la vie et le mouvement du corps entier qui est indiqué : un dessin de mode, c'est déjà une rencontre, une scène; il n'y manque que ce dialogue mordant dont se légenderont les suites des *Lorettes* et des *Étudiants*. Le modéliste va au-devant du romancier, car ses dessins se souviennent des remarques, jetées en marge des esquisses, sur la nature, le tempérament, l'essence, la coquetterie de la femme.

La grisette de *Ferragus,* Ida Gruget, sort de chez Gavarni, avec son châle et ses ballerines. Enveloppée aussi de son châle, la passante sans visage, silhouette vue de dos au début de *Gambara,* et qui garde ainsi tout cet "inconnu féminin", comme dit Gavarni, — version réaliste du fameux *mystère féminin.*

Il pourrait être amusant — et il serait facile — de faire coïncider telle description de robe dans *la Comédie humaine* avec un article de mode ou une gravure; ou, au contraire, de prendre le romancier en flagrant délit d'anachronisme. Il me paraît plus intéressant d'aller tout de suite à l'essentiel : Balzac n'est pas Eugène Sue, chez qui ses lectrices de Vienne, Milan ou Saint-Pétersbourg, sans compter Emma Bovary, allaient chercher, avec des descriptions d'ameublement, des idées de robes. L'éminente fonction donnée à la toilette dans le *Traité de la vie élégante* est illustrée dans l'œuvre romanesque de Balzac, où le vêtement n'est que rarement matière à une description réaliste inspirée par la seule *chronique.* Là comme ailleurs, Balzac dépasse la chronique. Ce qui frappe, c'est, une fois de plus, la discrétion de Balzac, qui fait volontiers l'économie d'une description de robe, s'il s'agit d'une femme parfaitement et quotidiennement élégante, Mme Firmini, Mme de Sérisy ou la duchesse de Chaulieu. De la duchesse de Carigliano, c'est le boudoir qu'il décrit; de Mme de Beauséant, dans *le Père Goriot,* seulement la dernière toilette, monacale, parce qu'elle exprime une idée : désespoir et renoncement. De la marquise d'Espard, nous ne saurons que ses secrets de beauté et sa préférence, — qu'il s'agisse de ses vêtements ou de son meuble de salon — pour les teintes brunes, qui mettent son teint en valeur.

> *"Le drame se complaît souvent autour des objets les moins significatifs. De quelle signification puissante il aime alors à revêtir un chapeau."*
>
> Radiguet.

Balzac décrit en dramaturge, et c'est être fidèle aux idées de son *Traité,* où la mode est conçue pour poétiser et *dramatiser* la vie oisive, que menace constamment le spleen. Dramatiser : là encore nous croirions volontiers que la mode du temps a inspiré le romancier. Songeons à ces bals dits *de caractère,* pour lesquels les dames du Petit-Château mettaient à contribution les ouvrages historiques sur les vêtements nationaux, les estampes de la Bibliothèque du Roi, et les talents du peintre Garnerey. Ainsi, voyageant dans le temps, l'espace et la société, elles devenaient pour un soir Marie Stuart, une Andalouse ou une pêcheuse cauchoise. Transposition romanesque : Béatrix de Rochefide se donnant, avec une robe de toile écrue et un chapeau de paille orné de bleuets, "un air de princesse déguisée en bergère". Songeons aussi au domino et masque noir, uniforme du bal de l'Opéra, qui permettait d'intriguer. Mais là, on n'est déjà plus dans le jeu; on est passé de la *comédie de paravent* au *drame.*

Trois exemples de cette liaison entre vêtement et drame. C'est la touchante apparition de Mme Birotteau et de sa fille, portant leur robe du fameux bal, qui achève le pauvre César. C'est en portant exprès, pour sa première sortie de convalescente, le chapeau aux bleuets du jour de l'accident, que Béatrix ranime dangereusement la passion de Calliste. Et toute l'importance du vêtement est dans le mot du notaire Solonet expliquant par avance la ruine de Paul de Manerville par la robe de sa fiancée, qu'a habilement choisie sa mère : "La robe du contrat contient, selon moi, la moitié des donations".

Dans cette "vie militante du monde" (entendez *du grand monde*), l'habit répondant à une idée stratégique est, selon l'expression du XVIIIe siècle que Balzac ressuscite en faveur de Louise de Chaulieu, un *habit de combat*. Une fois *sous les armes,* une femme ne risquera pas les ennuis de la pauvre *muse du département* qui, au lieu de choisir, comme telle héroïne de Bourget, la soie molle ou la batiste, s'embarque en voiture avec le galant Lousteau dans une robe d'organdi blanc forcément empesée, dont le chiffonnage la compromet.

Arme, la robe est aussi langage. La robe de velours bleu à grandes manches traînantes, à guimpe de tulle, inspirée d'un tableau de Raphaël, que porte la princesse de Cadignan pour sa première entrevue avec Daniel d'Arthez, est chargée d'exprimer, mieux que ne ferait un long discours, un aveu ou une promesse, la sérénité conquise sur la douleur. Voilà d'Arthez ferré. Le romancier, qui n'a aucune envie de faire concurrence au journal de mode, ne décrira pas la robe de la seconde rencontre, dont on sait seulement qu'elle a été supérieurement pensée pour faire passer les mensonges les moins crédibles, et qu'elle "offre aux regards une harmonieuse combinaison de couleurs grises, une sorte de demi-deuil".

C'est là le triomphe du vêtement, et le monde de *la Comédie humaine* appartient à ceux qui, par politique, savent lui consacrer leur temps et leur intelligence, la marquise d'Espard, Henry de Marsay, pour qui Balzac réhabilite la fatuité comme stratégie, car elle dit la sociabilité, la politesse, l'attention aux autres. On se rappelle l'étonnante ascension politique de de Marsay : réussite peu comprise en général, et même de celui qui pouvait le mieux la comprendre, Barbey d'Aurevilly, lequel y voit "une destinée faite par un poète". Destinée, en tout cas, que devaient justifier les belles destinées des dandys Morny, Cavour, et Disraëli.

4

Mode et modernité

"Dans un objet aimé qu'est-ce donc que l'on aime ?
Est-ce du taffetas ou du papier gommé ?

Musset.

En même temps que les romanciers dans la suite de Balzac, les poètes, quand ils ne chantent pas la nature ou ne se laissent pas charmer par les habits anciens, découvrent la silhouette de leur temps. Musset invente à son image le dandy Mardoche, qu'il nous présente à sa toilette, raffinant sur la cravate comme Brummell, qui en froissait et en rejetait une bonne douzaine avant de se trouver à son goût.

Tu sais que de cravates
Un jour de rendez-vous chiffonne un amoureux.

Et cette toilette nous vaut une disgression sur la mode de l'automne 1829, où Musset se réjouit de voir les tailleurs parisiens prendre leurs distances avec les commandements de Brummell, en substituant au pantalon long le *maillot* et la botte à mi-jambe. C'était compter sans le journal *la Mode*!

Côté féminin, Musset connaît deux bonnes adresses : Herbault pour les chapeaux et Palmire pour les robes. Palmire est la créatrice des robes portées par les deux amies d'*Un Caprice* (1837); elles sont à la fine pointe du progrès, car les manches plates ne triompheront définitivement des manches à gigot que deux ou trois ans plus tard. Musset a joliment rendu le *pati-patia* des deux jeunes femmes :

Mme de Léry : Cette Palmire vous fait des robes, on ne se sent pas des épaules; on croit toujours que tout va tomber. Est-ce elle qui vous fait ces manches-là ?

Mathilde : Oui.

Mme de Léry : Très jolies, très bien, très jolies. Décidément il n'y a que les manches plates. J'ai été longtemps à m'y faire; et puis je trouve qu'il ne faut pas être trop grasse pour les porter parce que, sans cela, on a l'air d'une cigale, avec un gros corps et de petites pattes.

Cette Palmire, qui règne sur les Parisiennes et sur plusiers reines étrangères, règne aussi sur le calendrier des amoureux :

Elle a mis, depuis que je l'aime
(Bien longtemps, peut-être toujours)
Bien des robes, jamais la même,
Palmire a dû compter les jours.

Musset, qui est si bien entré dans le personnage des deux amies d'*Un Caprice,* s'imagine, dans les *Conseils à une Parisienne* (1845) ce qu'il ferait s'il était "femme et jolie" :

Je voudrais n'avoir de soucis au monde
Que ma taille ronde
Mes chiffons chéris
Et de pied en cap être la poupée
La mieux équipée
De Rome à Paris.

Et Mimi Pinson, la cousette, a droit aussi à son couplet

Elle aura toujours son aiguille
    Landerinette
Au bout des doigts.

"Ou encore l'exquise Maupin, toute déshabillée de dentelles."

Paul-Jean Toulet.

Ce n'est pas en habit de dandy, comme Musset, que Gautier fait son entrée sur la scène littéraire, mais avec le fameux gilet rouge dont il dira plus tard qu'il n'était pas rouge et que ce n'était pas un gilet (car "nous étions du parti machicoulis, voilà tout"). Le voici, conservé dans un autoportrait d'*Émaux et Camées* (1847) :

Dans son pourpoint de satin rose
Qu'un goût hardi coloria
Il semble chercher une pose
Pour Boulenger ou Devéria.

Le Gautier du Doyenné partage avec son ami Nerval le goût des élégances du temps jadis. Son premier roman, *Mademoiselle de Maupin* (1835) le montre amoureux comme son héros, d'Albret, des robes baroques, en velours écarlate ou noir, avec des crevés de satin blanc ou de toile d'argent, des fraises à la Médicis, des cheveux crespelés et des chapeaux de feutre *rompus,* et des plumes. Toute l'intrigue du roman repose d'ailleurs sur un double déguisement. Gautier s'y révèle amoureux du luxe, des brocarts, dentelles et diamants; avec un peu de simplicité à la rigueur, pour faire plaisir à l'auteur du *Traité de la vie élégante,* qui publie dans sa propre revue le roman de Gautier.

Nerval restera fidèle aux rêves du Doyenné et aux déguisements initiatiques. Gautier, lui, découvre vite les charmes de la mode du jour. *Fortunio* (1838) nous ramène dans le Paris tout ensemble moderne et fantastique de Balzac, où des fashionables se sentent déshonorés pour avoir un gilet trop large d'un pouce, ou une pointe de cravate plus longue que l'autre. Authentique pacha, Fortunio mène la vie dorée du pacha parisien Henry de Marsay. Il paraît sous les traits d'un dandy éblouissant, et sa *fille aux yeux d'or,* qui a nom Musidora, en Parisienne à la mode : mousseline des Indes, peignoir de gros de Naples rose, amazone bleu ciel, qui appelle la comparaison avec les Bradamantes et les Marphises, mais la cravache vient bien de chez le très réel et très coté Verdier; et tout est bien au goût du jour, depuis la petite montre extraplate, dont Bréguet s'est fait une spécialité, jusqu'à la ballerine très découverte couleur *aile de scarabée.*

Comme le romancier, le poète croque la mode du jour, telle qu'il la voit sur le Boulevard ou au Bois :

> Sur la mode parisienne
> Le Nord pose ses manteaux lourds, (...)
> Partout se mélange aux parures
> Dont Palmire habille l'Hiver
> Le faste russe des fourrures
> Que parfume le vétyver.

Le vétiver est plutôt un parfum d'homme. De ce dandy, par exemple, se préparant pour le bal :

> C'est bal à l'ambassade anglaise
> Mon habit noir est sur la chaise
>   Les bras ballants;
> Mon gilet bâille et ma chemise
> Semble dresser pour être mise
>   Ses poignets blancs.

Brodequins fins vernis, cravate mince et gants glacés qui "s'allongent, comme des mains plates" complètent la panoplie.

Ce que Gautier pense de la mode ? Pour ce qui est du vêtement féminin, son amour du corps caché-dévoilé en érotise et la chaussure et le gant :

Un troisième, au fond d'une boîte
Reliquaire du souvenir,
Cache un gant blanc, de forme étroite
Où nulle main ne peut tenir.

Quant au vêtement masculin, il le déteste. Nerval prétend que cette haine vient de ce qu'il lui est difficile d'y entrer, vu sa stature colossale qui "lui fait souvent tort près des dames abonnées aux journaux de modes"! Les lignes suivantes de Nerval pourraient être signées Gautier : "Nos vêtements étriqués sont si absurdes que l'Antinoüs, habillé d'un habit, semblerait énorme, comme la Vénus habillée d'une robe moderne : l'un aurait l'air d'un fort des Halles endimanché, l'autre d'une marchande de poisson".

Quels que soient ses dégoûts, l'originalité de Gautier, avant les Goncourt, c'est son vif intérêt pour le vêtement et l'apparence; il l'avoue de manière humoristique : "Dans les drames, quand le père frotte sa fille retrouvée contre les boutons de son gilet, cela m'est absolument indifférent, je ne vois que le pli de la robe de la fille. Je suis une nature *subjective*". Cette horreur de la sensiblerie n'étonne pas chez l'avocat de l'art pour l'art.

Gautier s'est fait théoricien du chiffon dans un court ouvrage intitulé *De la mode* (1857). Il s'y montre fidèle aux axiomes de Brummell et à l'esthétique du *Traité de la vie élégante :* "Il faut qu'on sente qu'un homme est bien mis, sans se rappeler plus tard aucun détail de son vêtement. La finesse du drap, la perfection de la coupe, le fini de la façon et surtout le bien-porté de tout cela constitue la *distinction*". Mais Gautier s'élève aussi à une véritable réflexion personnelle et historique sur le vêtement. D'abord, dans le nu qu'il adore, il comprend tout de même la draperie, "son complément obligé, comme l'harmonie est le complément de la mélodie"; puis il conçoit que pour l'homme moderne il n'y ait plus de nudité possible. Utilisant déjà les mots des modernes sociologues du vêtement, il y voit "une sorte de peau qui lui adhère comme le pelage à l'animal". Il se console de ce que les déesses nues soient mortes, en reconnaissant dans l'ample crinoline le piédestal de la statue réduite à son buste, et en retrouvant avec humour dans la toilette décolletée du bal "l'ancienne étiquette olympienne" qui drapait les divinités supérieures des hanches aux pieds et leur découvrait la poitrine, les épaules et les bras. Enfin une phrase résume parfaitement cette idée qui est chez Hegel, Comte, Balzac et Alain, que le nu est abstrait et universel; et que seul le vêtement crée l'individu : "L'habit est la forme visible de l'homme".

Gautier modimane annonce, par-delà Barbey d'Aurevilly, les écrivains décadents par son amour des vêtements qui sentent le théâtre et le déguisement; par son goût aussi, qu'il dit "assyrien", pour les pierres étranges et les fourrures.

"Les couleurs de l'Histoire portées par la folie, voilà la mode".

E. et J. de Goncourt.

On connaît le mot des Goncourt : "Un temps dont on n'a pas un échantillon de mode et un menu de dîner, l'histoire ne le voit pas". Aussi, pour faire revivre *la société française sous la Révolution* (1854) et écrire *l'Histoire de la société française pendant le Directoire* (1855), interrogent-ils les journaux de mode, en particulier le *Journal de la mode et du goût,* ce qui nous vaut de précieuses descriptions de *négligé à la patriote,* de *déshabillé à la démocrate,* puis de *perruque blonde et collet noir,* comme on chante dans *la Fille de Mme Angot.* Pour *la Femme au XVIII*e *siècle,* dont un chapitre traite de la Beauté et de la Mode, ils regardent Nattier, Lancret, Watteau, Latour.

Le projet des deux frères de se faire les romanciers du peuple, du laid, de *la Fille Élisa* ou de *Sœur Philomène,* les éloigne de la peinture de ces élégances qu'ils aiment.

Un roman important toutefois, *Manette Salomon,* histoire d'un modèle et d'un peintre : celui-ci, dans sa période préimpressionniste, s'en va chercher sujet et inspiration à Trouville, "ce pays de la mode"; il en rapporte une ébauche de la plage, foule bariolée sur fond de ciel bleu dur et de mer vert glauque. Dans la description de cette ébauche, reprise d'une page du *Journal* écrite sur le motif, on voit à plein combien la vision des Goncourt est, comme celle de Balzac, marquée par l'influence de leur ami Gavarni, en qui ils ont vu "le costumier poétique et le modiste idéal de la femme". A la suite du créateur des chicards et des débardeuses, les Goncourt décrivent cette plage (où se mêlent toutes les modes, selon l'habitude d'alors au bord de la mer) comme un bal costumé; tous les mots, *bal, masques, loup, pêle-mêle, grelots, mode enragée* indiquent, avant que le mot ne soit prononcé, qu'il s'agit d'un *Carnaval.* Dans le roman, à l'arrière-fond, un personnage de grande couturière, à qui les Goncourt attribuent l'invention, au début de la Monarchie de Juillet, des réticules à pendants d'acier, des boas roses, brodés d'argent et recouverts de tulle noir, destinés à l'exportation, des manchons en velours noir brodé de soie jaune représentant des kiosques; l'invention aussi de la *lame* (le lamé) et des *robes à étincelles* qui avaient étonné les bals citoyens des Tuileries, car on voyait scintiller, sur les corsages, des élytres d'insectes des Antilles. Il y a là une énumération tout à fait gratuite dans le roman, mais qui montre leurs goûts de collectionneurs et d'historiens pour des objets qu'ils ont vus chez l'antiquaire ou à la salle des ventes, ou dont ils ont lu dans des chroniques la description précise.

Edmond de Goncourt est enfin à son aise pour décrire de tels objets, lorsqu'il décide d'abandonner la "canaille littéraire", de décrire des milieux chics, de faire le "roman réaliste de l'élégance". C'est l'expression utilisée dans la préface des *Frères Zemganno* (1878) où se précise le programme : "définir dans de l'écriture artiste ce qui est élevé, ce qui est joli, ce qui sent bon, donner des aspects et des profils des êtres raffinés et des choses riches'', mais ''cela en une étude appliquée, rigoureuse, et non conventionnelle et non imaginative de la beauté, une étude pareille à celle que la nouvelle école vient de faire, en ces dernières années, de la laideur''. Ainsi, dans sa peinture de l'élégance, continue-t-il, comme Zola, à utiliser le document. Mme Gervaisais, dans le roman auquel elle donne son nom en 1869, se rappelait une de ses robes très exactement datée de l'hiver 1836, en tulle illusion à mailles sur du satin blanc, ceinturée de *bleu Mademoiselle;* avec, sur sa tête, de la bruyère blanche et des roses de haie qui la coiffaient ''en papillon''. A Saint-Gratien, Edmond de Goncourt, au fil des soirées, écoute la dame de compagnie de la princesse Mathilde, Mlle Abbatucci, lui raconter ses souvenirs d'enfance et de jeunesse. Ces souvenirs lui fournissent la matière de *Chérie* (1884) ''monographie d'une jeune fille observée dans le milieu des élégances, de la Richesse et du Pouvoir, de la Suprême bonne compagnie, une étude de jeune fille du monde officiel sous le Second Empire''. Tout y est document.

Chérie, née en 1851, orpheline, est élevée et gâtée par son grand-père qui est alors ministre de la guerre, comme l'avait été le général Abbatucci à la même époque. A l'âge des poupées, Chérie s'initie à la mode en jouant avec une de ces belles dames au fin visage de porcelaine qui possède une garde-robe et un mobilier complet comme les Barbie modernes. Ce trousseau représente un parfait échantillon de la *mode à gigot* 1830. A sept ans Chérie donne des dîners à ses petites amies. Déjà dans *la Faustin* (1882), Edmond de Goncourt avait signalé, non sans quelque dégoût, la naissance en son temps de l'enfant-gandin, amateur de beaux chiffons, vivant dans l'air confiné du demi-monde : tel était le neveu de la Faustin, qui est actrice. Il lui donne, dans le grand monde, un pendant féminin, plusieurs même, avec *Chérie,* où l'on voit les petites bonnes femmes en herbe parler chiffons, juger de leur élégance réciproque. Et l'auteur de décrire la haute mode enfantine : robe de taffetas bleu changeant, corsage écossais à basques, bottines lacées; et pour Chérie, la petite maîtresse de maison, robe de mousseline à sept volants, bas de soie à jours et bijoux. Voilà des petites filles que la comtesse de Ségur, née Rostopchine, aurait eu du mal à rendre *modèles*!

Chérie grandit. A treize ans, elle est à son avantage dans les fourreaux sans taille de l'hiver 1864 et les envolées de mousseline. A quinze ans, première apparition dans le monde au bal du Sénat. Son chaperon, la mondaine Mme Tony-Fréneuse, la pilote chez son propre couturier, Gentillat, à qui elle abandonne chaque année trente mille francs. Dans Gentillat se reconnaissent à la fois (par recoupement avec le *Journal* et à cause d'indications précises) le célèbre Worth, qui habille l'Impératrice, et Pingat, le couturier des lorettes, mais que ne dédaignent pas les grandes dames. Edmond de Goncourt connaît l'un et l'autre. En septembre 1882, il a accompagné la princesse Mathilde chez Worth, à Puteaux, et l'a trouvé emmigrainé par l'odeur de ses clientes au point d'en perdre l'appétit; et, en 1883, il a vu Pingat, dans ses salons, "pelotant, maniant, chiffonnant les satins". A la suite de Chérie, nous pénétrons dans une maison de couture, comme on ne dit pas encore, installée dans un hôtel Restauration de la rue Taitbout : description de la maison (le sujet est neuf) et portrait de Gentillat, chauve et néanmoins coquet, métier oblige, dans un veston à large collet de velours ouvrant en cœur sur la poitrine, col de chemise très rabattu, monocle d'or, bagues à tous les doigts, parler précieux et papelard. Il profère : "Toilette entièrement en tulle; pour une jeune fille, il n'y a que le tulle. Corsage plissé avec quatre rangs de tuyauté autour du décolletage... oui au bord de la peau, quelque chose qui ressemble à du cygne... pour la jupe, derrière, pans de peplum". Nous nous arrêtons là après avoir reconnu l'invention de l'année 1866, le *peplum* créé par Worth pour l'Impératrice, qui a donné un nom à cette réminiscence antique.

Place aux ouvrières. La corsagère a moulé très exactement le buste de Chérie en épinglant sur elle un patron de toile. Vient le moment de l'essayage, dont le romancier restitue le ballet : entrée de la corsagère qui passe à Chérie le corsage couturé et baleiné; elle fait sauter le bâti, réépingle. Entrée de la jupière, qui épingle la jupe sur le corsage, et fait à genoux le tour de sa cliente pour vérifier la longueur. Tout cela est facile, car Chérie, dans le vocabulaire couturier d'alors, n'a justement pas la taille *couturière,* ni *guêpée,* ni *cassée,* termes qui semblent péjoratifs, mais *toute faite.* Entrée enfin du couturier qui, à grand renfort d'épingles, parachève le chef-d'œuvre.

Beaucoup d'autres élégantes réelles paraissent au long du roman à l'occasion des bals officiels, la princesse de Metternich au bal des Tuileries, dans une audacieuse robe rouge, Mme Korsakow avec une ceinture formée d'un chapelet d'émeraudes de l'Oural, de la grosseur d'un œuf de pigeon. Chronique des modes du Second Empire, *Chérie,* testament spirituel d'Edmond de Goncourt, se présente aussi comme une théorie de l'élégance. Soit que le romancier laisse la parole à son héroïne, qui déteste l'aspect draperie et se prononce en faveur des toilettes qui font nuage suggérant une certaine spiritualité; soit qu'il se pose la question classique : l'élégance, un don ou une science ? Une science surtout, mais aussi un art, et bien supérieur, selon lui, aux arts d'agrément qu'on enseigne aux jeunes filles, comme de laver plus ou moins bien une aquarelle. Un art qui permet de faire de soi-même, à travers les changements de la mode, un charmant et frêle objet d'art toujours nouveau.

Le célèbre *Journal de la vie littéraire* se présente souvent comme une chronique des robes admirées à Compiègne, à Saint-Gratien ou ailleurs. Au fil des pages sont décrites, entre autres, telle étrange robe en cuir de Russie avec fermoir portée par Mme de Metternich, une toilette de velours bleu bordée partout de petit-gris que porte la Barucci, qui appartient à la "haute bicherie", une robe décolletée de soie cerise filigranée de dentelle noire, sept rangs de perles jouant sur la cravate de dentelle, qu'il a admirée certain soir de 1867 sur la princesse Mathilde. Le

Journal est aussi une mine de renseignements sur la mode commme métier. Visites, confidences, ragots, mettent les deux diaristes au courant de l'endroit et de l'envers de la couture. Ici, c'est la grande couturière de la rue Louis-le-Grand, Mme Roger, qui fait travailler cinq cents ouvrières et dont les essayeuses sont vêtues de soie. Là, Edmond assiste chez Worth à un défilé de ces mannequins vivants qu'a inventés le grand couturier, et dont la touchante spécialité, cette saison-là est de "représenter la grossesse dans le high-life" (cette idée se retrouvera dans Colette). Ailleurs, une ouvrière lui dit la triste condition de ses compagnes d'atelier, pain noir et nuits blanches. On lui parle d'une racommodeuse qui fait la soupe de ses enfants avec le lait qui lui a servi à nettoyer des dentelles noires.

Et voici les bruits du grand monde : l'Impératrice a fait réaliser un système pour que ses crinolines descendent par un trou ménagé dans le plafond, et l'habillent ainsi d'en haut, sans chiffonnage. Le duc de Castries s'est fait faire vingt-cinq mannequins modelés sur son académie, pour que ses vêtements ne se déshabituent pas de ses formes et ne contractent pas de mauvais plis. La comtesse Greffulhe a fait mouler son torse en gutta-percha par le sculpteur Francheschi pour n'avoir pas à se plier à de continuels essayages.

"Un monde dont je rêverais, ce serait les hommes en fourrure, les femmes en dentelles."

Ed. de Goncourt.

Toute sa vie, curieux de modes, Edmond continuera à lécher les vitrines. Il s'amuse du mannequin d'un loueur d'habits, des uniformes de lycéennes, race toute nouvelle due à Camille Sée, qu'expose *la Belle Jardinière,* et de la prolifération des pyjamas ou *costumes pour dormir,* en soie, à brandebourgs et à quarante-deux francs pièce, d'où il conclut à une recrudescence de la prostitution masculine! Voici les bas de dentelle à la mode : cela fait bien cocotte! Et la vogue de la flanelle et de la chemise à plastron ne s'expliquerait-elle pas par les habitudes contractées au service militaire, récente invention aussi.

Devenu un vieux monsieur, Edmond fait le point : il a vu successivement les couleurs franches, un peu canailles, céder la place aux couleurs fausses exotiques, rose turc et mauve japonais, ces dernières supplantées à leur tour par les couleurs anglaises, vert pousse de panais, rouge de bisque de homard et jaune brun de vieux Rouen. Il a vu la robe bien féminine céder devant la robe carrick qui fait de la femme "un jeune mâle d'écurie". Il s'afflige de voir la cotonnade, "cette affreuse chose neutre", supplanter sa soie. Et il frémit à l'idée qu'on a failli perdre le point d'Argentan, qui n'était plus connu que d'une seule vieille dentellière. L'âge tend à le faire laudateur du passé, mais, en même temps, il ne cesse de rêver à des choses nouvelles : ainsi, en flânant dans les serres de Saint-Gratien, il espère que les soyeux lyonnais abandonneront leurs dessins géométriques et académiques pour s'inspirer, comme les Japonais, des feuilles et des fleurs.

Et il continue la collection commencée avec son frère d'objets XVIIIe siècle à l'usage de la femme. D'autre part, un éventail admiré passage Mirès leur avait donné l'idée d'une collection de toutes les élégances matérielles, morales, sentimentales *du jour d'aujourd'hui;* et, cette collection faite, de bâtir un roman idéal dont ces objets seraient les personnages. Ce roman n'est-il pas, en somme, *la Maison d'un artiste* (1880), inventaire bien avant décès de la maison du boulevard Montmorency ? Les robes japonaises y voisinent avec des écrits curieux sur la mode : *Oraison funèbre d'un maître-tailleur* ou *Essai sur les corps baleinés.*

C'est le chiffon qui a fait, je crois, en partie, l'écriture des Goncourt, qui est souvent exaspérante, mais en tout cas qui n'est pas gratuite. On sait le goût des deux frères, et surtout d'Edmond, pour les mots rares et les néologismes, tels que *tortillage, entortillage, encapuchonnage, remontage, retroussage, chiffonnage, papillotage, pasquillage,* ou, suivant un autre mode de dérivation, *farfouillement, serpentement, retournement, accoudement, appuiement, essayement, débraillement, clapotement, remuement* (de jupe), *gondolement* (de chapeau), ou encore *tombée* d'un manteau qui a du tombant. Ils parlent, non de femme *gracieuse* ou *élégante,* mais de femme *gracieusée* ou *élégantifiée.* Tous mots qui mettent en vedette le rôle de la mode, de la recherche couturière; qui n'évoquent pas, comme chez Balzac, le regard du spectateur ébloui par la femme en représentation, par sa pose, son geste étudié; mais bien plutôt le regard du couturier qui est dans le secret du vêtement, qui l'invente, l'essaie, le reprend sur sa cliente-mannequin. Ces mots rendent aussi le geste inquiet, nerveux, sagace et sans complaisance, de la femme à sa toilette, essayant une robe, vérifiant l'ensemble au moment de sortir, entortillant l'écharpe ou s'enveloppant du châle. La recherche comme inquiète du mot nouveau (pourquoi *essayement,* puisque la langue dispose d'*essayage* ?) traduit le nervosisme dont relève, à partir de 1850, la recherche de sensations et d'effets nouveaux; et la fameuse épithète rare équivaut à l'*agrément* (la garniture) qui assure à la toilette son originalité.

La syntaxe des Goncourt, elle, mime la main qui organise la toilette, ce qui n'est pas toujours heureux du point de vue du style et de l'euphonie. Exemple, cette description d'une robe, "dont la gracieuse originalité est faite *de* l'agencement *de* chute *de* branches *de* fleurs d'oranger le long *de* son corsage et *de* sa jupe". Ailleurs la phrase, maniérée, qui semble se retourner sur elle-même, suit le remuement de la coquette se retournant pour inspecter sa traîne, ou de l'essayeuse tournant autour de la jupe, épinglant, supprimant, faisant bouffer. Les Goncourt, collectionneurs de robes anciennes et de bijoux féminins, ont une sensibilité de couturier qui aime tripoter les tissus. Le prouvent des expressions comme : *tortillage de gazes et de dentelles, vie flottante des étoffes* ou *voluptueux contenu d'un corsage.* Car cette dernière expression n'a rien à voir avec des rêveries amoureuses ou érotiques, mais renvoie très précisément au geste de l'ouvrière modelant sur le buste de Chérie le corsage-cuirasse, moule exact du mannequin de chair. Le dur métier de ceux qui fabriquent la mode, et des belles femmes qui la portent justifie chez les Goncourt la création du style artiste.

5

Deux dandys et leur *mundus muliebris*

"Esse est percipi".
Berkeley.

"Je me voyais vu".
Barbey d'Aurevilly.

Chez Barbey d'Aurevilly, avant l'élégantologiste, il y a un élégant. Dans le premier *Memorandum* se lit au fil des jours, comme la notation d'un rite : *Habillé. Sorti,* avec les variantes *Habillé. Dîné, rasé, coiffé, habillé. Habillé* (et non *couvert* ou *vêtu)* pour aller dîner en vilre, accompagner la marquise du Vallon au théâtre, ou simplement aller s'accouder à la rampe de Tortoni. *Habiller* va avec *boucler, papilloter, corser* et *lacer;* le mot *toilette* revient à chaque page : *fait toilette, une pimpante t., la plus compliquée t., une t. enragée,* ou *un bout, un brin de t.* Il trouve cette dernière expression particulièrement gracieuse "comme tout ce qui rapproche une idée de civilisation d'une image naturelle". Mais le brin tourne souvent à la branche, voire à l'arbre : il avoue y avoir passé deux heures "comme une grande intelligence que je suis", ajoute-t-il ironiquement. Un ami qui le surprend dans cette occupation est "renversé de la solennité qu'il y met". La toilette, c'est, dit-il, le grand remède à l'ennui, et, chez lui, comme chez les jolies femmes, elle n'a pas besoin de la justification d'une sortie.

Ce souci d'"élégance irréprochable" se marque par la venue quotidienne du coiffeur, celle fréquente, du tailleur, qui lui "prend un temps infini". S'il sort le matin, c'est pour acheter une cravate ou des gants chez la Geslin (ou pour la payer, ce qui n'est pas trop dandy, ni aristocratique!), pour prendre du linge ou un chapeau chez la Denan, faire blanchir ses manchettes, choisir chez Apolline une fleur pour sa boutonnière, faire rétrécir sa bague à aigue-marine ou commander un bracelet où mettre une mèche de Paula, la blonde fugitive. Dans les boutiques du Palais-Royal, la tentation le guette sous les espèces d'un flacon de cristal à bouchon d'or qu'il a le courage de se refuser, d'une mystérieuse bague verte dont il s'est *encapricié,* et qu'il ne sait pas se refuser. Ou bien il passe chez Kling, son tailleur, qui a été un moment son logeur, comme Buisson l'a été pour Balzac : Kling lui essaie "un amour d'habit qui fait à peindre" et dont il court essayer les charmes, en tout bien tout honneur, sur la fiancée de son ami Guérin ou sur la maîtresse d'un autre ami, Apolline la fleuriste, qui le trouve "adorablement mis". Et c'est le drame quand un bobo au pied l'empêche de se chausser juste, ou qu'une inflammation à l'œil "crucifie" sa coquetterie.

L'homme des *Memoranda* aime les beaux tissus, s'achète un cachemire bleu de saphir "doux et chaud comme la peau d'une jeune femme couchée depuis une heure". Le journal nous laisse l'image complaisante d'un Barbey d'Aurevilly "embossé" dans sa cape espagnole, qui répond aussi aux noms de *mante* et de *mantel,* un mantel de satin dans lequel il enroule, comme il dit, ses "infinies délicatesses". C'est sans doute cette cape qu'on le voit, à une autre page, rejeter nonchalamment sur le bras, laissant libre la main qui tient un odorant bouquet de violettes gros-bleu. Goût des choses féminines, sensualité ? Chez lui, il s'entortille la tête dans un châle rouge en guise de coiffure de nuit, et chez sa marquise, dans un autre châle, rose celui-là, sans doute emprunté à sa chère hôtesse; laquelle flatte ce goût du chiffon en lui fabriquant de ses blanches mains, non la traditionnelle bourse brodée, mais une écharpe tissée.

Cette coquetterie est pleinement assumée par un dandy qui affirme cyniquement l'importance de la toilette et de la fatuité, comme faisait de Marsay. Qu'on en juge : "choisir ses gilets, chose importante"; "fait diverses choses, entre autres la suprême, ma toilette"; "essayé un pantalon et commandé une redingote, affaires graves, choses presque religieuses". De telles déclarations, et le ton surtout, annoncent l'écrivain qui s'intéressera à Brummell.

"On l'a considéré comme un être purement physique, et il était au contraire intellectuel jusque dans le genre de beauté qu'il possédait."

Barbey d'Aurevilly.

Du dandysme ou de Georges Brummell (1843) paraît sortir des reproches que Barbey ne fera pourtant que dix ans plus tard à Balzac (dans l'article qui salue la publication du *Traité de la vie élégante*) de n'avoir vu dans les dandys que des *mannequins* et des *têteurs de canne,* de n'avoir pas, comme son contemporain Stendhal, compris la profondeur du dandysme et la fascination qu'il exerce. Ce qui n'empêche pas Barbey de reconnaître que *la Comédie humaine* possède d'admirables dandys en Maxime de Traïlles, "le Mirabeau manqué" et en de Marsay, "le Machiavel Alcibiade". Contre Balzac et Carlyle, Barbey d'Aurevilly réhabilite ces "terribles poupées", les grands dandys anglais qui formaient la *bande* du prince de Galles, le futur George IV. L'ouvrage devait paraître dans *le Moniteur de la mode :* le premier chapitre y figure en effet le 20 avril 1843, signé d'un pseudonyme évoquant quelque grande courtisane qui s'achèverait en Mélusine, *Maximilienne de Syrène.* Comme Balzac dans son *Traité,* Barbey y fait théorie de l'élégance, qu'il distingue de la grâce, à laquelle elle est supérieure, et de la beauté, qui la dépasse, — en somme, une "beauté en miniature". Dans l'élégance, il distingue aussi ce qui ressortit à la convention sociale, et la recherche de l'"absolu en soi". Analyse qui annonce, chez Baudelaire, la "théorie rationnelle et historique du beau". C'était là trop d'abstraction et de subtilité pour les lectrices du *Moniteur de la mode,* avec qui Barbey-Maximilienne rompit *haut et net,* déclarant à Trébutien, qu'il avait quelques jours plus tôt prié de lui trouver des lectrices parmi les "poupées de Caen" : "Je veux bien écrire pour des poupées de bonne compagnie, mais pas pour des couturières". Citerons-nous la suite, qui brave l'honnêteté? Oui, pour placer ici un jalon qui nous permettra de mesurer plus tard la promotion sociale des couturières, les grandes du moins. Il continue donc : "Je n'ai jamais su dire aux couturières, hors leur état, que cette seule phrase : j'irai te voir ce soir, attends-moi et n'aie pas de corset; ou bien : Mets ton corset et déguerpis". Variante d'une même délicate pensée!

Sur quoi il porte à *la Sylphide* son "bréviaire du dandysme", qui, grâce à Trébutien, parut peu de temps après à Caen en volume; ouvrage quasi-confidentiel avant que Poulet-Malassis n'en donne en 1861 une seconde édition, et Lemerre, en 1879, une troisième, augmentée d'une étude sur le morganatique époux de la Grande Mademoiselle, Lauzun, et d'un recensement des dandys d'avant le dandysme où, râtissant large, Barbey fait entrer "l'homme au carosse à six chevaux", ami du chevalier de Méré, Pascal (avant Port-Royal), et aussi Rancé (avant la Trappe).

Le livre déborde de beaucoup la question vestimentaire, car le dandy n'est pas "un habit qui marche tout seul; au contraire, c'est une certaine manière de le porter". Et de citer jusqu'aux reniements du chiffon chez certains dandys : Lord Spencer paraissant avec un habit dont un pan a été arraché, et, du coup, donnant un coup de ciseau dans l'autre, et créant ainsi la veste-gilet à laquelle il a donné son nom; ou la mode des habits râpés avec une lame de verre — on songe au moderne jean volontairement délavé ou effrangé — jusqu'à réduire le vêtement à l'état de dentelle, en somme à son degré zéro.

Le bruit fait autour du livre amènera l'auteur, comme il le confesse, à se "rebrummelliser". Mais il n'attend pas pour ce faire l'édition Poulet-Malassis! Idée de dandy que cette *limousine* blanche de roulier normand à larges bandes rousses et bleues, ou brunes ("mais j'aimerais mieux rousses, précise-t-il, et qu'elle soit la plus large et la plus longue possible"), qu'il commande en décembre 1844 à son ami caennais. Doublée de satin ou de velours, elle lui fera une sortie de bal, l'équivalent de ce que les femmes portent cet hiver-là en guise de burnous sous le nom de *laitière*. Il faut croire que Trébutien n'exécuta pas la commande, ou que le manteau usé réclama douze ans plus tard un successeur, car on voit Barbey d'Aurevilly, en octobre 1856, s'acheter, lors d'un séjour dans le Cotentin, cette *limousine* de charretier bas-normand qu'il fera doubler de velours noir, comme Jean-Bart le corsaire avait fait doubler d'or sa culotte d'argent (Barbey souligne que ce sera "moins meurtrissant"), et dans laquelle il veut "envelopper son dandysme cet hiver". Un portrait atteste l'existence de cette *limousine* jetée sur le frac noir du Connétable.

Les séjours à Saint-Sauveur-le-Vicomte en 1856 et 1864 n'allègent même pas la vie du dandy, qui fait tenir son emploi du temps dans trois mots : "Peigné, bouclé, débouclé", et avoue à Mme de Bouglon, son *Ange blanc :* "S'habiller, babiller et se déshabiller, voilà une partie des graves occupations d'ici". C'est lors d'un dernier voyage en Normandie qu'il va en 1866, comme en pélerinage, à l'asile du Bon-Sauveur de Caen, où le Beau anglais avait fini ses jours vingt-six ans plus tôt, gâteux.

> "... *les pompes du dandysme et l'élégance de la lionnerie.*"
>
> Baudelaire.

Les romans et nouvelles de Barbey d'Aurevilly se souviennent des grands dandys qu'il admire et auxquels il fait souvent allusion : Rivarol et son habit rose, d'Orsay le dandy à la française, le cardinal de Rohan qu'un cruel veuvage avait jeté dans les ordres, mais, rappelle Barbey, "la beauté même des dentelles de son rochet faisait un peu tort à la magnifique réputation de son chagrin". Les dandys imaginaires des romans ou des *Diaboliques* (1874) sont à la hauteur des dandys illustres, qu'ils soient d'Outre-Manche, comme M. Harford au linge éblouissant, bagues à tous les doigts et pastille parfumée aux lèvres (*Une partie de cartes*), ou son ami, l'impeccable Karkoël dont les gants de chamois rappellent la perfection de ceux de Brummell, qui nécessitaient quatre ouvriers différents; ou qu'ils soient français, comme Maulevrier, qui sait son Byron par cœur et ne déteste pas les esclavages de la toilette (*l'Amour impossible*); Ryno, dont le romancier prend visiblement plaisir à décrire les merveilleux costumes (*Une vieille maîtresse*); Ménilgrand, toujours *adorablement, divinement mis (Un dîner d'athées);* Savigny, avec ses saphirs sombres aux oreilles (*le Bonheur dans le crime*); Ravila de Ravilès, qui continue d'Orsay et Alcibiade, et reste beau jusqu'à sa dernière heure (*Le plus bel amour de Don Juan*); ou ce vicomte de Brassard (*le Rideau cramoisi*) "poitrinant au feu, comme une belle femme au bal qui veut mettre sa gorge en valeur", et qui offre à ses soldats, en guise de décorations, des gants et des buffleteries.

Les *Memoranda* nous ont montré le goût de Barbey d'Aurevilly pour tout ce qui touche à ce que Baudelaire nommera le *mundus muliebris,* qu'il s'agisse de châle, de bijoux ou de parfums. Ce monde féminin, Barbey ne le considère pas d'ailleurs comme un monde étrange ou étranger, qui serait incompréhensible au mâle émerveillé. Il s'agirait plutôt pour lui d'une sorte de garde-robe commune aux deux sexes, oserai-je dire *unisex?* Chez ce Normand haut et large, qui revendique pour aïeux les sauvages Rois de la mer, vit un de ces hermaphrodites moraux dont il fait l'éloge à propos de la Musette de Murger. Sa nature féminine lui fait comprendre les chiffons féminins, aimer les fards, adorer les parfums et en user, c'est-à-dire agrandir le champ et les moyens de l'élégance. Il aime parler chiffons, et dans un bal (chez Musard) cherche d'abord les jolies robes. Il écrit une fois : "J'avais une envie *féminine* de sortir". Il a si bien conscience d'empiéter sur le domaine féminin qu'il imagine, ou devine, une guerre des sexes d'un nouveau genre. Des femmes (qui, selon de Marsay, voient dans la fatuité masculine un hommage) il dit qu'elles "ne nous pardonnent pas quand nous sommes plus élégants qu'elles". Cette jalousie, il fait d'ailleurs tout pour la susciter, en démontrant à une amie, qu'il vexe fort, que, sans corset, il a la taille plus fine qu'elle. Il aime à se voir comme "un pâle phalène à la taille svelte", un "séraphin à la taille féminine"; mais (car il joue sur les deux tableaux) un séraphin doué d'un solide appétit comme Lauzun, qu'il peint "délicat et blond, avec une taille de jeune fille déguisée en garçon".

Cet hermaphrodite charmant que lui représente Lauzun en homme, il l'imagine aussi idéalement en femme; et opère ainsi une sorte de réconciliation et d'égalité des sexes. Lui qui a si fort tonné contre les bas-bleus et les "chaussettes azur" ne veut pas pour autant renvoyer la femme aux soucis d'un ménage ou d'une mièvre coquetterie. Il cherche en elle une égale en rigueur et en dandysme : "Les femmes devraient être toujours habillées, plus ou moins. Quand elles déposent leurs habits de combat (nous avons déjà rencontré cette expression du XVIIIe siècle chez Balzac, et Barbey va lui redonner son sens le plus pur) elles cessent d'être ces *fairs warriors* (ces belles guerrières) dont parle Shakespeare". Voilà le grand mot lâché : les héroïnes de Barbey d'Aurevilly seront toutes, même les blondes et douces vaincues (Desdémone n'a-t-elle pas droit aussi, de la part d'Othello, au nom de *fair warrior?*), des guerrières, comme l'Hermangarde d'*Une vieille maîtresse,* qui "au Moyen Âge aurait porté cuirasse". Il en est une qui porte vraiment la cuirasse, la Hauteclaire du *Bonheur dans le crime,* dont le prénom jette des lueurs d'épée : ce maître d'armes, ce saint-Georges femelle, cette Clorinde, dont la féminité se cache sous le masque de l'escrimeuse, le plastron de maroquin noir, les chausses de soie tricotée, et qui ne troque l'armure que contre l'amazone et l'épais voile bleu.

Barbey d'Aurevilly aime les écuyères; il voit dans la marquise du Vallon une duelliste, et, en veine de métaphores guerrières, dans une demoiselle de petite vertu une "élève de l'école militaire des catins", dans une prostituée une "gladiatrice"! Il aime, dit-il, "les grosses roses et les grosses femmes" ou les "colossales beautés", comme dit Don Juan Ravila de sa douce marquise, "taillée pour être la femme d'un colonel de cuirassiers" (le mari est d'ailleurs militaire!). La préférence de Barbey va aux beautés sévères, sculpturales, que gâterait un bonnet rose, dont le sein est "hardiment moulé comme l'orbe d'une cuirasse de guerrière", et dont les épaules fermes appellent la comparaison avec l'ivoire, le camée, le marbre. La marquise du Vallon et la baronne de Maistre, ses belles amies, répondent, si l'on peut dire, à ces canons.

> *"Cuirasses, armures, etc., tout cet attirail défensif et charmant."*
>
> Mallarmé.

La cuirasse, Barbey d'Aurevilly la retrouve dans les plus féminines et délicates parures : dans le corsage de satin blanc de Mlle Mars qui est "par-devant une véritable cuirasse de diamants et de rubis effrénés d'éclat";dans les plis glacés et luisants d'une jupe safran qui miroire et crie "comme un appel aux armes"; dans le *devantey* d'un juste (corsage) normand, dans le tablier d'une lavandière caennaise tordu en *baudrier,* et dans la *comète,* cette coiffe de batiste des paysannes cotentinoises et des grisettes de Valognes, qui dessine, à ses yeux, un casque de conquérant viking. Et le satin brillant, avec ses éclairs, est le tissu qui (à part le lamé sans doute) lui représente le mieux l'éclat d'une cuirasse. C'est en robe de satin noir que la Clorinde normande du *Bonheur dans le crime,* devenue comtesse de Savigny, affronte, au Jardin des plantes, la panthère de velours noir.

Sans doute les Clorindes du XIXe siècle n'ont plus guère à lutter que contre un seul ennemi, mais armé lui aussi : le terrible corset à busc d'acier, instrument de torture mondain que Barbey d'Aurevilly impose à ses héroïnes comme à lui-même, car il déteste les *dégrafées.* L'a-t-il assez chantée, cette lutte qui fait la beauté : "ce corset plein du marbre brûlant de la jeunesse", auquel répond en chiasme "cette chair superbe tassée dans du satin", lequel menace de rompre.

On peut s'attendre que Barbey, collaborateur du *Moniteur de la mode,* de *la Sylphide,* et de *la Mode,* soit prodigue en chroniques de mode. On a la déception de voir qu'il n'a donné au dernier de ces trois journaux que des articles politiques. Il s'est rattrapé dans ses romans, mais ses descriptions de robes ne relèvent pas, comme chez les Goncourt, de la chronique : son imagination, son goût personnel habille ses héroïnes; et ce goût est fonction de sa nature, comme l'explique, dans l'ouvrage sur Brummell, la comparaison entre les tempéraments anglais et français. Cette comparaison fournit un autoportrait de Barbey d'Aurevilly : c'est un *passionné* qui se veut *flegmatique,* un *sanguin* qui se rêve *lymphatique.* Le sanguin, le passionné aiment le rouge dont Barbey rappelle qu'en russe un seul et même mot veut dire *rouge* et *beau,* et que ce rouge fait "à certains êtres l'effet du voile de pourpre sur le taureau". Quand les héroïnes de Barbey quittent, en même temps que leur intérieur, les teintes pastel, le lilas, le gris, le blanc, elles aiment porter des robes cramoisies et des rubis : mantelet de velours écarlate d'Hortense (*le Cachet d'onyx*), long châle rouge de la marquise de Gesvres (*l'Amour impossible*), flot de chenille écarlate pour la résille de Vellini, la vieille maîtresse. Mais un secret Brummell enjoint à Barbey de préférer le noir, qu'avant 1850 on accusait, et Balzac lui-même, de sentir mauvais.

"C'est par les mouvements que les formes parlent."
Anatole France.

Une riche sensualité inspire chez Barbey les descriptions des robes et du corps qu'elles dessinent ou suggèrent. Il aime dire la femme traînant une robe indolente, s'avançant d'une démarche ondoyante, déferlant onduleusement comme une vague ou faisant le gros dos dans ses fourrures. Et son regard suit toujours voluptueusement la chute des reins. Mélusine n'est pas loin, ni la comparaison avec la sirène. Cette sensualité transforme volontiers l'auteur des *Memoranda* et les héros romanesques qu'il crée à son image, en sigisbées-soubrettes, heureux qu'on leur confie un corset à lacer, un cordon de chaussure à nouer ou un long gant à boutonner; le gant ayant un charme particulier pour lui, comme aussi le châle et la traîne.

La mode alimente la métaphore, dont Barbey d'Aurevilly est prodigue. La vie de salon, les relations amicales, deviennent parures, bijoux, comme s'il voulait illustrer le cousinage établi par Balzac entre la conversation et la toilette. Le cercle des hommes dans le salon lui apparaît comme "un bracelet vivant dont la maîtresse de maison forme l'agrafe". Le charme des entretiens à bâtons rompus, où l'amitié confiante met sa spontanéité, s'exprime dans l'image du "collier un peu mêlé de nos causeries". Que quelqu'un prononce devant lui un nom qui lui est cher, et c'est "l'anneau par lequel notre conversation a passé comme un long mouchoir de soie qu'on enfile dans la bague d'une femme". Et quand la conversation roule sur un sujet qui n'est pas pour les jeunes filles, il voit les mères s'ingénier "à mettre les guimpes les plus montantes aux expressions dont elles se servent". Barbey en met moins, faisant surgir des images qui ne sont point pour les jouvencelles quand il parle de "ces relations qui se nouent et se dénouent comme une jarretière"!

Avec son goût pour les géantes, les pierres, les parfums, avec sa religion du dandysme, Barbey d'Aurevilly fait songer à Baudelaire qu'il rencontre en 1854, et dont il restera l'ami.

> *"Il aimera toujours le rouge et la céruse, le chrysocal et les oripeaux de toute sorte."*
>
> in *La Fanfarlo.*

Baudelaire fait remonter à l'enfance son goût précoce pour les femmes et leur toilette, ce qui pour lui ne fait qu'un : "Je confondais l'odeur de la fourrure avec l'odeur de la femme, je me souviens, écrit-il dans *Fusées.* Enfin j'aimais ma mère pour son élégance. J'étais donc un dandy précoce". D'une amie de sa mère, chez qui il est allé à l'âge de six ou sept ans, il se rappelle le velours et la fourrure d'une robe. Dans *Titres et canevas,* on lit cette phrase elliptique : "Tout jeune, les jupons, la soie, les parfums, les genoux des femmes", et il se dit "vieux" parce qu'il est resté attaché aux modes d'autrefois. Ces impressions d'enfance ont lié pour jamais à la femme son vêtement et son parfum.

C'est le compte-rendu du Salon de 1846 qui amène Baudelaire à parler mode, et à prendre parti dans les discussions qu'elle suscite. Certains tableaux par lui retenus l'amènent à poser la question de ce vêtement masculin que beaucoup de peintres, toujours formés par le tableau d'histoire, répugnent à représenter. Sauf M. Ingres : "Il ne recule devant aucune laideur et aucune bizarrerie : il a fait la redingote de M. Molé; il a fait le carrick de Cherubini", écrit Baudelaire, comme s'il partageait la répulsion générale pour l'habit moderne. Mais, en réalité, ce n'est pas la modernité des habits qui le choque, ni la couleur sombre, puisque, quelques lignes plus bas, il accuse Ingres "d'adorer la couleur comme une marchande de modes". Ce qui lui déplaît, semble-t-il, est que le peintre, par un raffinement réaliste déplacé, ait fait la part trop belle dans ses portraits à ce qui était le fait du tailleur; et qu'en choisissant de faire poser les deux hommes dans ces vêtements plutôt qu'en habit, il ait donné à l'homme d'État une raideur doctrinaire et au compositeur le pittoresque d'un voiturin.

Pour ce qui est de l'habit, il rappelle la querelle faite à Dumas en 1831 pour avoir mis sur le théâtre, dans le drame moderne d'*Anthony,* un homme en habit noir, pantalon à sous-pieds et bottes vernies : "quant à l'habit, la pelure du héros moderne... les ateliers et le monde sont encore pleins de gens qui voudraient poétiser Anthony avec un manteau grec ou un vêtement mi-partie". Un an plus tard, dans *la Fanfarlo,* il reprend ce plaidoyer pour l'habit moderne sur la scène : "Un despote en habit noir vous cause-t-il une terreur moins poétique qu'un tyran bardé de buffle et de fer ?" Il n'aime pourtant point, dans l'habit, ce noir qu'il nomme "ce zéro solitaire et insignifiant", et l'éloge qu'il fait de l'inévitable habit n'est pas sans ironie :

> Et cependant, n'a-t-il pas sa beauté et son charme indigène, cet habit tant victimé ? N'est-il pas l'habit nécessaire à notre époque souffrante et portant jusque sur ses épaules noires et maigres le symbole d'un deuil perpétuel ? Remarquez bien que l'habit noir et la redingote ont non seulement leur beauté poétique, qui est l'expression de l'âme publique — une immense défilade de croque-morts, croque-morts politiques, croque-morts amoureux, croque-morts bourgeois. Nous célébrons tous quelque enterrement. Une livrée uniforme de désolation témoigne de l'égalité.

Baudelaire constate d'ailleurs que l'on s'est habitué à ce noir, et que les excentriques ne manifestent plus leur réprobation par des couleurs tranchées et violentes, mais qu'ils se rabattent sur la coupe et les nuances du dessin. Et Baudelaire se moque des plis grimaçants, des vêtements larges "jouant comme des serpents autour d'une chair mortifiée".

Acceptons donc l'habit noir, qui n'a pas gêné les dessinateurs Lami et Gavarni; et que le peuple des coloristes ne se révolte pas trop de devoir le peindre, car la réussite n'en sera que plus glorieuse : "Les grands coloristes savent faire de la couleur avec un habit noir, une cravate blanche et un fond gris''. Ainsi se trouve réglée la question du vêtement masculin. Le vêtement féminin ne fait pas tellement question, quoique, selon Baudelaire, il n'ait pas encore trouvé son grand peintre. Mais le poète est comblé par les croquis de modes : il en aime la rapidité d'exécution, qui s'obtient au XVIIIe siècle avec le pastel, l'aquatinte, l'eau forte, la gravure à plusieurs teintes, et au XIXe siècle avec le dessin lithographié que rehausse souvent l'aquarelle. Il admirera chez Constantin Guys, ''le peintre de la vie moderne'', cette particulière rapidité : quelques indications au crayon pour placer les figures, puis des taches de couleur qu'enferme à la fin la ligne du dessin. En 1846, il cite les croquis de mode de Watteau fils, *la Jeunesse dorée* de Devéria, les dessins de Wattier, Tassaërt, Lami ''celui-là presque Anglais à force d'amour pour les élégances aristocratiques''; et naturellement Gavarni, dont les gravures lui paraissent avoir influencé les mœurs, beaucoup de jeunes gens s'efforçant de ressembler à ses nettes images de dandys, comme la jeunesse du Quartier Latin a emprunté costumes et lorettes à ses fameux *Etudiants.*

Plus tard, Baudelaire s'enchantera de la collection des gravures du bon La Mésangère, qui retracent les modes de la Révolution au Consulat. Il écrit à Poulet-Malassis qui les lui a envoyées : ''Vous ne sauriez croire de quelle utilité pourront m'être ces choses légères non seulement par les images, mais aussi par le texte''. Une ligne des *Titres et canevas* précise à quoi elles lui auraient servi. Dans ces gravures, il retrouve en effet non seulement le type humain, traits et port de tête d'une époque, mais aussi la morale, l'esthétique et la pensée philosophique dominante du temps : ''L'idée que l'homme se fait du beau s'imprime, écrit-il, dans son ajustement, chiffonne ou raidit son habit, arrondit ou aligne son geste''. Il note aussi la puissance évocatrice de ces jolies et vivantes images : ''L'imagination du spectateur peut encore aujourd'hui faire marcher et frémir cette *tunique* et ce *schall''.*

A feuilleter ces gravures qui parlent d'autres temps, Baudelaire n'éprouve pas le sentiment que les modes d'antan soient étranges ou ridicules. Il imagine même que, s'il lui était donné, à lui ou à tout autre spectateur impartial, de pouvoir suivre dans quelque encyclopédie toutes les modes françaises des origines à nos jours, il passerait sans surprise de l'une à l'autre, car "les transitions y sont aussi absolument ménagées que dans l'échelle du monde animal". Curieuse idée d'appliquer la théorie de l'évolution animale à la succession des modes, dans laquelle on a coutume de ne voir que révolutions violentes, accidentelles ou arbitraires. Idée très en avance, qui invite à chercher dans une histoire apparemment chaotique un développement harmonieux et logique, à repérer des cycles. Ce qu'ont fait dans ces dernières décennies les historiens du vêtement.

"*Transitoriis quaere aeterna*".
(Par le transitoire cherche l'éternel)
épigraphe de l'*Ève future*
de Villiers de l'Isle-Adam.

A l'époque où il feuillette La Mésangère, en 1859, Baudelaire fait la connaissance de Constantin Guys pour qui il se sent tout de suite une vive sympathie, et pour qui il est tout prêt à rompre des lances. Et il y a du mérite à le faire, car il faut vaincre l'extrême discrétion du dessinateur anglais qui, après avoir bourlingué, été correspondant de guerre en Crimée, se fait le reporter des élégances Second Empire, le peintre des belles demi-mondaines à demi-couchées dans les superbes voitures qui les ramènent du Bois. Chez Guys, Baudelaire retrouve à la fois son amour de l'élégance et sa préférence pour la modernité. Guys conforte le futur poète du *Spleen de Paris* dans son dessein d'exprimer en une prose nouvelle, nerveuse, ces accidents, rencontres et hasards (Baudelaire dit *circonstances*) que propose à l'homme des foules une grande ville aux mouvants tableaux. Guys l'aide, par son exemple, à formuler sa "théorie rationnelle et historique du beau" :

> Le beau est fait d'un élément éternel, invariable, dont la quantité est excessivement difficile à déterminer, et d'un élément relatif, circonstanciel, qui sera, si l'on veut, tour à tour ou tout ensemble, l'époque, la mode, la morale, la passion. Sans ce second élément, qui est comme l'enveloppe amusante, titillante, apéritive du divin gâteau, le premier élément serait indigeste, inappréciable, non adapté à la nature humaine.

Dès lors ces épithètes que de tout temps les écrivains moralistes ont associées à la mode : *transitoire, fugitif, contingent, passager, fugace, éphémère,* se trouvent réhabilitées, puisque les alchimistes que sont le peintre et le poète peuvent en extraire de l'immuable : "Il s'agit pour lui, dit-il de Guys, de dégager de la mode ce qu'elle peut contenir de poétique dans l'historique, de tirer l'éternel du transitoire". Que l'on supprime le transitoire, et l'on tombe "dans le vide d'une beauté abstraite et indéfinissable". En Baudelaire, la mode a trouvé son meilleur avocat.

Ce plaidoyer pour la *mode* et la *modernité,* deux mots frères, ramène l'esprit de Baudelaire à l'École des Beaux-Arts, où le peintre se forme en copiant les maîtres anciens. Mauvaise école, dit-il : "Les draperies de Rubens et de Véronèse ne nous enseigneront pas à faire de la *moire antique,* du *satin à la reine,* ou toute autre étoffe de nos fabriques, soulevée, balancée par la crinoline ou les jupons de mousseline empesée". A quoi s'ajoute que la coupe et les plis relèvent d'une technique nouvelle, et que le port de la femme moderne n'a rien à voir avec celui des Vénitiennes du XVIe siècle.

"Une nuance de coquetterie est indispensable à l'animalité de la femme".

E. et J. de Goncourt.

"Idole, elle doit se dorer pour être adorée".

Baudelaire.

Au plaidoyer pour la mode, en tant qu'elle est

moderne et transitoire, s'ajoute une réhabilitation de la toilette, si souvent calomniée comme artificielle, au nom de la nature et du naturel. Baudelaire entend la "venger", c'est son mot. La réhabilitation de la coquetterie ne passe pas, comme le crut Mme Aupick en lisant *le peintre de la vie moderne,* par une célébration de la femme. Bien au contraire. Aux yeux de Baudelaire, la femme, comme l'écrivait son maître à penser, Joseph de Maistre, est "un bel animal". Elle n'est que trop naturelle, c'est-à-dire *abominable,* comme traduit *Mon cœur mis à nu.* Buvons la coupe jusqu'à la lie : "La femme ne sait pas séparer l'âme du corps. Elle est simpliste, comme les animaux. Un satirique dirait que c'est parce qu'elle n'a que le corps". Et encore : "La femme est le contraire du Dandy".

Pour faire oublier cette animalité et ce naturel abominable, la femme a besoin de toutes les ressources du *mundus muliebris,* étoffes précieuses, lourds bijoux, "attributs et piédestal de sa divinité". Reine, à condition d'être esclave de ces objets, qui assurent l'harmonie de sa beauté :

> Quel est l'homme qui, dans la rue, au théâtre, au Bois, n'a pas joui, de la manière la plus désintéressée, d'une toilette savamment composée, et n'en a pas emporté une image inséparable de la beauté de celle à qui elle appartenait, faisant ainsi des deux, de la femme et de la robe, une totalité indivisible ?

Ce que Baudelaire défend, c'est l'art et l'artifice contre la simple nature, en qui il ne voit plus "la source et le type de tout bien et de tout beau possible". On sait son horreur pour "le végétal irrégulier" et les "légumes sanctifiés" que sont pour lui les arbres. Pour Baudelaire "tout ce qui est beau et noble est le résultat de la raison et du calcul... La vertu est *artificielle,* surnaturelle... Le bien est toujours le produit d'un art". Et ce qui est vrai du Bien l'est aussi du Beau : "Je suis ainsi conduit à regarder la parure comme un des signes de la noblesse primitive de l'âme humaine". Et de citer le *sauvage* et le *baby* qui témoignent par leur amour du brillant, du bariolé, du chatoyant, de "la majesté spéculative des formes artificielles", de "la haute spiritualité de la toilette", et du même coup, de "l'immatérialité de leur âme" :

> La mode doit donc être considérée comme un symptôme du goût de l'idéal surnageant dans le cerveau humain au-dessus de tout ce que la vie naturelle y accumule de grossier, de terrestre et d'immonde, comme une déformation sublime de la nature, ou plutôt comme un essai permanent et successif de réformation de la nature.

Cette recherche de l'idéal que Baudelaire décèle dans la mode assure à toutes les modes, si laides ou ridicules qu'elles paraissent à distance, un caractère charmant. Axiome : "Toutes les modes sont charmantes".

L'éloge de l'artifice appelle celui du maquillage. Baudelaire ne le veut pas discret, jouant le naturel ou cherchant à cacher la laideur; le maquillage n'embellit que les belles. La poudre de riz, tenant pour le visage le rôle du maillot sur le corps de la danseuse, crée "une unité abstraite dans le grain et la couleur de la peau", fait de la femme une statue. Flaubert avait-il lu ce texte avant de jeter sur son carnet de projets cette phrase non datée : "*Théorie du gant.* Il idéalise la main en la privant de sa couleur, comme fait la poudre de riz pour le visage. Rien n'est plus troublant qu'une main gantée" ?

Quant au rouge (il ne s'agit jamais au XIXe siècle que du rouge à pommettes), Baudelaire le voit comme une chose agréable, en ce qu'il transforme et exagère la nature". Le *rouge* et le *noir* "représentent la vie, une vie surnaturelle et excessive; ce cadre noir rend le regard plus profond et plus singulier, donne à l'œil une apparence plus décidée de fenêtre ouverte sur l'infini; le rouge, qui enflamme la pommette, augmente encore la clarté de la prunelle et ajoute à un beau visage féminin la passion mystérieuse de la prêtresse".

L'éloge de la toilette considérée comme un art et une morale entraîne celui du dandy, auquel l'auteur du *Peintre de la vie moderne* consacre son avant-dernier chapitre. Barbey d'Aurevilly, dont il a connu l'ouvrage sur Brummell dès sa première édition, a dû l'affermir dans l'idée que le dandysme dépasse la question de la toilette, qu'il représente une révolte contre la trivialité. Baudelaire va plus loin, il y voit "le dernier éclat d'héroïsme dans les décadences", "un soleil couchant; comme l'astre qui décline, il est sublime, sans chaleur et plein de mélancolie". Le dandysme apparaît ainsi à Baudelaire comme une règle de morale quasi monastique, qu'il fera sienne dans les notes de *Fusées* et dans *Mon cœur mis à nu :*

Étrange spiritualisme! Pour ceux qui en sont à la fois les prêtres et les victimes, toutes les conditions matérielles compliquées auxquelles ils se soumettent, depuis la toilette irréprochable à toutes les heures du jour et de la nuit jusqu'aux tours les plus périlleux du sport, ne sont qu'une gymnastique propre à fortifier la volonté et à discipliner l'âme. En vérité, je n'avais pas tout à fait tort de considérer le dandysme comme une espèce de religion.

Comme les Goncourt, Baudelaire avait songé à remonter le temps et à consacrer un livre à la beauté fugace, et en son temps moderne, du XVIIIe siècle. Il aurait interrogé les peintres et les dessinateurs qu'il cite, Debucourt, Saint-Aubin, Moreau le Jeune. Il a laissé des notes sur la toilette, la coiffure et les meubles, tels qu'ils apparaissent dans *l'Hiver* de Lancret, *l'Île enchantée* de Watteau ou *les Préparatifs du bal* de de Troy. Il avait feuilleté ce qu'il nomme "cet immense dictionnaire de la vie moderne disséminé dans les bibliothèques, dans les cartons des amateurs et derrière les vitrines des plus vulgaires boutiques". Il avait recopié dans Cochin le costume de la suivante, appris chez Mme du Deffand la manière de poser le rouge, noté dans une *Satyre des cerceaux* l'origine de la robe à paniers, feuilleté au Cabinet des estampes les *Figures des modes* dessinées par Octavien. Il n'eut pas le temps de donner forme à ces pittoresques notes.

Le poète est d'accord avec le philosophe du chiffon. Même la nudité qu'il aime, il la fait se détacher, comme font les peintres, sur un fond de linge ou de fourrure :

> elle noyait
> Sa nudité voluptueusement
> Dans les baisers du satin et du linge.

Les dessous ne l'ont point laissé indifférent : il imagine pour sa *Mendiante rousse* un bas à poignard d'or. Et, dans *Une Martyre*

> Un bas rosâtre, orné de coins d'or, à la jambe,
> Comme un souvenir est resté;
> La jarretière, ainsi qu'un oeil secret qui flambe,
> Darde un regard diamanté.

Dans la toilette de la femme, tout prend son sens :

> Elle darde son regard sous son chapeau, comme un portrait dans son cadre.

Baudelaire a défini la danse "la matière, gracieusement terrible, animée, embellie par le mouvement". Ce pourrait être sa définition de la robe, de la jupe surtout, qu'il aime ***traînant à plis somptueux, miroitant, bougeant, se balançant, roulant, tournant.*** Sa Fanfarlo adore, et lui aussi, "les étoffes qui font du bruit, les jupes longues, craquantes, pailletées, ferblantées qu'il faut soulever haut d'un genou vigoureux". Et voici, sur fond rose (le rose "révélant une idée d'extase dans la frivolité") la beauté "provocante ou barbare" :

> Elle s'avance, glisse, danse, roule avec son poids de jupons brodés qui lui sert à la fois de piédestal et de balancier.

ou encore :

> Une femme passa, d'une main fastueuse
> Soulevant, balançant le feston et l'ourlet.

La jupe connaît son triomphe dans *Le Beau navire,* par l'image qu'elle suscite :

Quand tu vas balayant l'air de ta jupe large,
Tu fais l'effet d'un beau vaisseau qui prend le large
Chargé de toile, et va roulant
Suivant un rythme doux, et paresseux, et lent.

Il faudrait, pour une autre image, citer la cinquième strophe, où le buste se fait bouclier, panneaux d'un beau meuble. Inversement, la métaphore métamorphose le désir, les larmes, les regrets et le respect en beaux habits et accessoires dont le poète vêt sa maîtresse, couronne, manteau, robe et souliers.

Et de la morte de *la Danse macabre,* ne reste que la charmante parure, bouquet, mouchoir, robe, gants, souliers pomponnés, qui font d'elle une sorte de momie de catacombes palermitaines :

Ô charme d'un néant follement attifé!

6

D'Emma à Nana

> *"Et quand il arriva le lendemain, élégamment vêtu, avec une cravate blanche faisant trente-six tours, elle agréa sa demande."*
>
> Apollinaire.
>
> *"Inventer sa vie, c'est porter des manteaux blancs pour se promener en voiture dans la forêt."*
>
> Louise de Vilmorin.

A Balzac, Flaubert reprend le motif du jeune homme pauvre à qui manquent, pour faire la conquête des femmes et des salons, un chapeau à coiffe propre, des chaussures qui n'aient pas recueilli la boue des rues, des gants frais, et du linge, toujours du linge. Mais c'est marqué de dérision qu'apparaît chez l'auteur de *l'Éducation sentimentale* ce thème de l'indispensable élégance, à travers les conseils de Deslauriers, qui a appris de Rastignac (il cite ses sources) que l'habit est le passeport qui ouvre les salons : "Puisque tu as un habit noir et des gants blancs, profites-en", conseille-t-il à son ami Frédéric Moreau. Formé par les mêmes lectures, Frédéric ne cessera de lier la question vestimentaire à la réussite mondaine ou amoureuse, au point de s'exiler dans sa province aussi longtemps que, ruiné, il ne peut paraître devant Mme Arnoux ou Mme Dambreuse qu'avec "des gants bleuis du bout, un chapeau gras et la même redingote pendant un an''. Et, à peine reçu l'argent du trimestre ou escompté celui d'un héritage, il se précipite chez le chapelier, le bottier, le marchand de cannes; et chez le fameux Pomadère, émule des Staub et des Buisson balzaciens, où il se commande d'un coup trois pantalons, deux habits, une pelisse de fourrure et cinq gilets. Et lorsqu'il lui arrive de faire son examen de conscience mondain en rentrant d'une soirée chez les Dambreuse, il se rassure d'abord en rendant justice à la perfection, mainte fois vérifiée dans les glaces du salon, de sa toilette.

Illusions perdues, Albert Savarus ont aussi légué à Flaubert le type du dandy ou de l'élégance de province, qui apprend l'élégance dans les romans ou les journaux de mode. Et ne serait-ce pas dans *Béatrix* — à moins que ce ne soit dans un guide des convenances, ou quelque *Follet des salons* — qu'Emma Bovary a appris qu'une femme du monde met ses gants dans son verre pour avertir qu'elle ne boit pas de vin ? Loi faite, comme toutes les lois, pour être violée, et qui l'est, à son grand étonnement, au dîner de la Vaubyessard. A-t-on remarqué le rôle que jouent les journaux de mode dans les romans de Flaubert ? Emma jeune fille en emprunte pour confectionner son trousseau. Mariée, elle s'abonne à la célèbre *Corbeille* et au *Sylphe des salons*. Elle en fait sa principale lecture; Léon aussi, qu'il les feuillette seul ou avec Emma; et ils y puisent la matière de leurs conversations. Flaubert a-t-il un compte à régler avec ce genre de littérature pour n'avoir guère vécu chez lui qu'avec des femmes ? Il est plus probable qu'il sait l'influence d'une sorte de publication alors foisonnante, où le chiffon flirte avec la littérature et même avec la politique, comme, corollairement, le journal politique (*le Flambart* dans *l'Éducation sentimentale*) s'ouvre à la réclame des tailleurs et couturières. Hussonet et la Vatnaz écrivent dans des journaux de mode; l'élégante Mme Dambreuse est citée dans ce genre de feuilles. Et, chez Flaubert, la description du costume masculin, s'il marque une intention ou une prétention d'élégance, s'il n'est pas résolument artiste, ouvrier, démodé ou anti-mode, semble inspirée par les lithographies de Gavarni et d'autres dessinateurs de mode; elle en a le pimpant et la netteté. C'est Martinon, fils de paysans, né récemment à l'élégance parisienne, sortant vers 1841 de la soirée Dambreuse en habit, avec gilet de velours à châle, cravate blanche et chaîne d'or; Cisy, dont un héritage vient de faire un dandy, en paletot à fourrure et bottes minces comme des gants; ou encore Frédéric : pantalon gris perle, chapeau de feutre blanc et badine à pomme d'or. On sent l'habit toujours conforme aux dictats de la mode, sans le petit rien personnel que permet seule une longue habitude de s'habiller. L'énumération sans fioritures des pièces du vêtement, à quoi se réduit la description, rend ce manque de fantaisie dans la correction, le conformisme.

Il est facile à Flaubert de sourire des soucis masculins d'élégance, dont il ne semble pas avoir souffert comme Balzac. Ni la mondanité, ni la toilette ne paraissent avoir beaucoup inquiété l'ermite de Croisset, qu'enveloppe sa vaste robe de chambre en drap brun, que coiffe la petite calotte en soie noire du bénédictin laïque. Mais il est complice de l'intérêt passionné que ses personnages masculins portent aux élégances féminines, substituts du corps désirable. Le platonisme amoureux n'explique pas seul que Frédéric Moreau ne puisse se figurer Mme Arnoux que vêtue; ce n'est pas manque de sensualité, ou insensibilité au jeu du montrer-cacher. Mais il semble qu'à ses yeux le vêtement existe pour lui-même, forme en quête d'un contenu, ou image de l'être qui l'a habité. Cette passion pour certaines pièces du costume féminin est si habituelle aux personnages de Flaubert qu'on ne peut manquer d'y reconnaître celle du jeune homme de seize ans, ébloui sur la plage de Trouville par certain châle rouge que portait Mme Schlésinger. Rodolphe, qui ne brille pourtant pas par l'imagination ou la sensibilité, lorsqu'il tombe amoureux d'Emma aux Comices, croit voir se dessiner sur les murs de la tente les plis d'une robe. Et léchant les vitrines des marchands de dentelles et des bijoutiers, Frédéric Moreau habille en imagination la femme aimée; la parure suscite et anime une chevelure, un corsage, des reins, un pied; et en retour elle est *vitalisée, vivifiée,* pour reprendre les mots de Baudelaire, par l'idée de celle qui la portera. Sa poupée, il l'habille aussi des costumes anciens ou exotiques qu'il voit dans les tableaux du musée, pour lui faire jouer en rêve des scènes romaneques. A Frédéric, il faut d'abord le moule du vêtement pour y couler sa statue.

La femme aimée est comme la somme de toutes ses apparitions en des toilettes différentes, la somme de ses robes : "il se rappelait le berceau de clématite, les robes qu'elle avait portées, les gens qu'elle fréquentait". C'est de Charles qu'il s'agit. Et, en écho, avec cette variante que le souvenir est ici regret de ne pas savoir et jalousie naissante : Frédéric "souhaitait connaître les meubles de sa chambre, toutes les robes qu'elle avait portées, les gens qu'elle fréquentait". Autre écho d'un roman à l'autre : Charles "ne pouvait se retenir de toucher continuellement à son peigne, à ses bagues, à son fichu". Et Frédéric : "son parfum, son peigne, ses gants, ses bagues étaient pour lui des choses particulières, importantes comme des œuvres d'art, presque animées comme des personnes". Le second passage est seulement plus explicite, comme plus conscient l'amoureux. Peigne qui *mord* le lourd chignon, fichu, châle à raies violettes qui évoque de frileux enveloppements de pauvre voyageuse, parfum d'iris ou de violettes qui est comme l'émanation d'un corps, son âme; bagues et gants que la sensualité de Flaubert et de ses personnages aime étroits et courts, serrant un peu la chair du poignet si douce à embrasser entre le gant lui-même et la manchette, et dont le blanc mat exalte le blanc satiné et vivant du bras nu; gants qui semblent faits pour être donnés à l'amoureux en avance d'hoirie, en promesses et en gages, comme les bagues.

Ce ne sont pas là les seuls objets du *mundus muliebris* qui fascinent l'amoureux flaubertien. Le chapeau n'est pas, pour parler moderne, la pièce la plus érotique du costume, puisqu'il habille la partie la plus intellectuelle de l'individu, ne met en valeur aucune forme qu'un profil, et qu'on ne lui demande que de la fantaisie et du charme. Mais l'époux d'Emma n'est pas exigeant, que suffit à enchanter "la vue de son chapeau de paille accroché à l'espagnolette d'une fenêtre". Et sur le bateau, le visage de Mme Arnoux s'auréole d'un large chapeau, de paille aussi, "avec des rubans roses qui palpitaient au vent, derrière elle". Nous mettrons avec le chapeau et la capote cette presque-coiffure qu'est l'ombrelle lorsqu'elle n'est pas seulement l'en-cas sur lequel on s'appuie ou le style avec lequel écrire rêveusement sur le sable; mais qu'elle se déploie au-dessus de l'héroïne, tamisant la lumière et faisant courir des reflets sur un cher visage : celle d'Emma, en soie gorge de pigeon; celle, de la même couleur amoureuse, une *marquise* chinoise à petit manche d'ivoire ciselé, que Frédéric offre à Mme Arnoux pour sa fête; celle de Rosanette, le jour des courses, en satin lilas, et pointue par le haut comme une pagode. Un objet suffit à évoquer tout l'être. Il en est de privilégiés.

> "*L'univers pour lui n'excédait pas le tour soyeux de son jupon.*"
> Madame Bovary.
>
> "Robe. *Inspire le respect.*"
> *Dictionnaire des idées reçues.*

Dans la seconde moitié du XIXe siècle, la jupe s'étoffe, s'élargit, se répand en plis nombreux de lourds tissus, jusqu'à ce que la crinoline lui donne son ampleur maximum; elle semble alors cacher autant de mystère que d'armatures et de jupons superposés, enfermer le désir de l'homme dans un cercle magique. Le romancier Flaubert est sensible à cet impérialisme des jupes qui "se bouffent", comme il dit, et dont le velours ou le taffetas "érifle" en dansant le pantalon du cavalier. La jupe, il l'aime étoffée de *falbalas,* de trois à neuf volants, gonflée de plis, flots dont il voit comme émerger le buste. Il l'anime en imagination, lui faisant balayer, au cours d'une amoureuse promenade, les feuilles jaunies de la forêt. Il la rend fantastiquement *démesurée,* infinie — et d'ajouter : *insoulevable* aux yeux de l'amoureux Frédéric, en la faisant se confondre avec les ténèbres du soir qui tombe. Et si l'amoureux Léon pose par hasard le pied sur la longue jupe d'Emma, il s'écarte vite, effrayé "comme s'il eût marché sur quelqu'un". De cette jupe si voluptueuse et redoutable à frôler, Flaubert dit aussi le bruit, celui que fait l'épaisse soie alors à la mode, lorsque la jupe s'assied ou marche, ce froufrou qu'il est un des premiers à nommer ainsi, et qui a un bel avenir dans le roman et l'opérette.

"Des souliers lilas, la, la
Et des soulier lilas!"
Zola, *L'Assomoir.*

Plus sensuelle encore que la jupe, la chaussure. Une des premières choses qui, en Emma, charment Bovary, ce sont les petits sabots qui la grandissent, et le bruit qu'ils font en claquant contre le cuir de la bottine. Dans d'autres sphères, c'est le craquement de la bottine qui séduit, à l'instar du crissement de la jupe. La psychanalyse a tout dit, je suppose, sur *l'érotisme* du pied, que les historiens de la mode associent souvent aux jupes raccourcies et aux ballerines mises à la mode avant 1830 par la duchesse de Berry; mais cet érotisme grandit comme en serre chaude sous le dernier volant des jupes allongées qui, après 1850, ne laisse voir qu'à la sauvette l'extrême bout de la chaussure : soulier noir de Mme Dambreuse, mince bottine de soie marron ou chaussure mordorée de Mme Arnoux; et, vingt ans après, lors de l'ultime visite de la femme aux cheveux gris, un bout de bottine entraperçu arrache encore à Frédéric cette dernière déclaration d'amour : "La vue de votre pied me trouble". Et ce sont aussi les pantoufles en satin rose bordées de cygne qu'Emma, assise sur les genoux de Léon, retient mignonnement du bout du pied, les pantoufles à bordure de cygne dans la vitrine, qui semblent faites pour le pied de Mme Arnoux, et celles de satin bleu qui l'attendent dans la chambre de la rue Tronchet. Et, par deux fois, la chaussure de la bien-aimée est l'objet d'un véritable sacrilège : l'un, volontaire, lorsque Frédéric se venge de Mme Arnoux en donnant à Rosanette les pantoufles bleues qui lui étaient destinées; l'autre, involontaire et anonyme, quand sont vendues aux enchères, avec les jupons, les fichus, les robes et les manteaux, "chères reliques" où Frédéric retrouve confusément les formes de son corps, trois paires de bottines qui lui ont aussi appartenu.

On peut parler de sacrilège, car Mme Arnoux est apparue à Frédéric — "Ce fut comme une apparition" — ainsi qu'une image sainte, une "sainte en son auréole", une madone. *Madone* se lit d'ailleurs sur le manuscrit.

"Selon que la mode, une fantaisie ou l'humeur du ciel circonstanciait sa beauté..."

Mallarmé.

Ce sentiment quasi idolâtre, ce véritable fétichisme, entraîne une manière d'écrire qui s'accorde parfaitement à l'idée que Flaubert s'est faite plus généralement de la description : ne décrire que ce que voit le personnage spectateur et ce qui l'émeut. Résultat : ce que je voudrais appeler la *description éclatée,* aussi bien pour le paysage que pour le portrait. Flaubert, dont la tendance est de fignoler le grand morceau de bravoure qui dit tout, n'est arrivé à cet éclatement que dans l'*Éducation sentimentale.* De Mme Dambreuse nous ne connaissons d'abord que la mante violette qu'elle porte lorsque Frédéric entrevoit pour la première fois dans sa voiture, et son odeur d'iris qu'il perçoit comme "une vague senteur d'élégances féminines". Plus tard, au théâtre, il notera, sans d'ailleurs savoir que c'est elle, des cheveux tirebouchonnés à l'anglaise, la robe à corsage plat et le large éventail de dentelle noire dont elle mordille le manche. Se succéderont ensuite des Mme Dambreuse en moire grise, en taffetas lilas, manches à crevés de mousseline, bras nus, perles dans les cheveux.

Le personnage intouchable de Mme Arnoux se multiplie en une série de daguerréotypes : la voyageuse en robe de mousseline à pois, capeline, châle et ombrelle; la maîtresse de maison parisienne, robe de velours noir et bourse algérienne de soie rouge; la promeneuse en capote de velours, mante noire ouatée, bordée de petit-gris, gants de chamois à deux boutons; la maîtresse de maison de Saint-Cloud dont on ne voit que cette chaussure en peau mordorée découverte dont les trois pattes transversales dessinent sur le bas un grillage d'or qui fascine Frédéric; la mère de famille, en large robe de chambre de mérinos bleu; la dame en visite, en paletot de velours noir bordé de martre et robe de soie brune; l'estivante d'Auteuil, en large robe de chambre de soie brune bordée de velours en pareil; l'invitée de l'hôtel Dambreuse, en robe de Barège noir, cercle d'or au poignet, une branche de fuchsia entortillée dans le chignon; la visiteuse des derniers adieux, cachée sous sa voilette noire.

Le portrait de la bien-aimée, toujours vêtue, se souvient des modes de la seconde décennie de la Monarchie de Juillet; il se souvient aussi des peintres qui les traduisirent; ce sont ici, pour le Normand et l'habitué de Trouville, les préimpressionnistes. Le plus joli portrait en pied d'Emma sous son ombrelle baigne dans la lumière d'un matin de printemps : "Le grand air l'entourait, la peau blanche de sa figure s'éclairait des reflets mobiles du soleil passant à travers la soie de l'ombrelle". Douze ans plus tard, Flaubert a perfectionné sa technique et fait apparaître Mme Arnoux, dans sa robe de mousseline à pois, comme un Monet avant la lettre, "se découpant sur le fond de l'air bleu".

La mode ne se manifeste pas seulement chez Flaubert sous le forme de dames et de messieurs bien habillés. Dans les deux romans réalistes, elle est partout. Personnages qui en font métier : Lheureux le tentateur, Mme Regimbart la couturière, qui colporte les nouvelles chez ses riches clientes, Dussardier, commis chez un marchand de dentelles de la rue de Cléry, qui passe ses journées parmi les champignons garnis de châles, et avec qui la Vatnaz — qui a déjà fait le commerce des dentelles dans le milieu des femmes légères — médite d'ouvrir un magasin de confection. Et, de l'autre côté du comptoir, femmes et hommes du monde, pour qui le chiffon est une préoccupation constante et un sujet de conversation inépuisable. Un même intérêt fait que Mme Dambreuse connaît aussi bien le personnel de la couture que celui des ambassades, science dont elle fait profiter Frédéric. De la mode, Flaubert note les dinstingos, les hiérarchies marquant la différence des sphères sociales, et s'exprimant par des mots distincts : Mme Bovary dans son village, Mme Dambreuse à Paris, sont connues pour leur élégance. Homais, quand il s'émoustille, déclare aimer avant tout le *chic;* Cisy veut avoir du *cachet.* L'opposition entre l'élégance et le chic se trouve chez tous les écrivains jusqu'en 1914.

Aucun romancier ne pouvait d'ailleurs plus que Flaubert être fasciné par la mode, puisqu'il s'est voulu le peintre des apparences, l'éternel *spettatore,* et puisque ses personnages, sans épaisseur, superficiels, velléitaires, changeants, vivant au jour le jour dans leur rêve, ne sont sensibles qu'au beau semblant. Les Goncourt disent très justement que dans *Madame Bovary* "les accessoires vivent plus que les personnages".

"Sois pareille à l'âme de ta forme".

Villiers de l'Isle-Adam.

"Les femmes (des duchesses) pauvres anges! portaient du point d'Angleterre au bas de leur jupon."

Madame Bovary.

Emma, Léon, Frédéric confondent tous trois, comme il est dit de la première, "les sensualités du luxe avec les joies du cœur, l'élégance des habitudes et les délicatesses du sentiment". Emma rêve que sa vie avec Rodolphe, dans des décors exotiques, sera "facile et large comme leurs vêtements de soie". Léon admire en Emma "l'exaltation de son âme et les dentelles de sa jupe". Frédéric se figure que Mme Dambreuse, aristocrate et dévote, a "des délicatesses de sentiment, rares comme ses dentelles". Les drames eux-mêmes se résument pour Emma en un rituel couturier : "Il y avait là des robes à queue, de grands mystères, des angoisses dissimulées sous des sourires". Ainsi lui apparaît le grand monde, et la retraite de Mlle de la Vallière, c'est une traîne qui s'éloigne sur la dalle d'un couvent.

Déguisons-nous donc, et le reste sera donné par surcroît. Le vêtement qui, en imagination, si aisément se gonfle d'un corps, suscitera aussi bien une âme. L'anti-héros flaubertien s'imagine pouvoir changer de personnage en même temps que d'habit. En quoi il ne fait que suivre son siècle, qui a fait du vêtement un symbole, un drapeau, où par exemple, l'habit noir et la haute cravate sur laquelle reposent deux ou trois mentons annoncent la gravité et l'ennui prônés alors, et pas seulement par un célèbre propriétaire de journaux. Martinon affiche ses idées juste-milieu en se livrant à une gymnastique de pouces artistocratiquement passés sous les aisselles, puis se transportant vite au gilet comme chez les doctrinaires; et on recommence. Pendant les journées révolutionnaires, le banquier Dambreuse sait pouvoir donner le change et assurer sa sécurité en adoptant le chapeau mou. D'ailleurs, pour les révolutionnaires comme pour les bourgeois conservateurs, la révolution s'écrit en langage de chiffon :

> Chapeau bas devant la casquette,
> A genoux devant l'ouvrier!

chantent au Club de l'intelligence les ouvriers que leur bourgeron distingue des pions et des rapins en paletot; et Sénécal, président de séance, accentue son air rigide et convenable en portant des gants noirs. Ce langage vestimentaire, le romancier l'emprunte aussi pour raconter la révolution de 1848 : "Partout la blouse s'en prenait à l'habit'', ou encore : lors des journées de juin, ''le bonnet de coton ne se montra pas moins hideux que le bonnet rouge''. Il semble d'ailleurs éprouver un sombre plaisir à tout ramener à une question de chiffons. La conversation des gardes nationaux roule toute sur le remplacement des buffleteries par le ceinturon. La question vestimentaire paraît même à Arnoux si pleine d'avenir qu'il songe à se renflouer en montant une chapellerie militaire. Cependant que Frédéric se fait à l'idée de se porter à la députation, séduit qu'il est par ''le costume que les députés, disait-on, porteraient. Déjà il se voyait en gilet à revers avec une ceinture tricolore; et ce prurit, cette hallucination devint si forte qu'il en parla à Dussardier''.

Une occupation, un état, une opinion se réduisent souvent chez l'intéressé au vêtement de l'emploi. Lorsque Emma s'imagine à Paris en musicienne de salon, ce qu'elle voit, ce n'est ni le piano ni la partition, mais la robe de velours sans manches; et c'est la perspective de porter une amazone qui emporte sa décision de monter à cheval. Pour Léon, la vie de l'étudiant parisien qu'il va devenir se résume en une robe de chambre, un béret basque et une paire de pantoufles bleues. Et Regimbart se croit dispensé de prouver les connaissances dont il se vante en artillerie, du moment qu'il se fait habiller par le tailleur de l'École Polytechnique.

Il n'est pas jusqu'à la mort, celle des hommes et des gouvernements, qui ne perde toute grandeur en se réduisant à des rites de déguisement. La disparition de M. Dambreuse devient une affaire d'habits de deuil, de maître des cérémonies en culotte courte, de nouvelle livrée à prévoir pour les domestiques. Frédéric craint même un moment d'avoir compromis le cérémonial avec des gants de castor au lieu de la filoselle que veut l'usage. On croirait le summum de la dérision atteint lorsque, dans la salle du trône profanée, la canaille s'affuble des dentelles et des cachemires de la reine et des princesses, que le forgeron se coiffe d'un chapeau à plumes, et que des protituées se font des ceintures avec les rubans de la Légion d'honneur : pendant macabre du bal costumé de Rosanette.

> *"C'est par un anneau qu'on commence et par un smoking qu'on finit."*
>
> Jules Lemaitre.

Et les élégantes disparues ne laissent d'elles que leurs jolis chiffons. Mme Arnoux partie, croit-on, pour les Amériques, on vend ses robes pour défrayer les créanciers de son mari. Mais Flaubert était déjà allé plus loin dans la peinture des *vanités.* D'Emma il ne reste que des robes, que s'approprie Félicité, la bonne. Et le pauvre veuf trouve quelque douceur à l'illusion d'une Emma vivante, qu'entretient ce port abusif. Puis Félicité se fait enlever et emporte toutes les robes. D'Emma il ne reste plus alors à Charles que de pauvres dictats couturiers, qui constituent tout le testament spirituel de sa femme, et auxquels il obéit pieusement. Solitaire et ruiné, il porte enfin les cravates blanches et les souliers vernis qu'elle eût souhaité lui voir porter; et il use de cosmétiques. Flaubert écrit : "elle le corrompait par delà le tombeau".

Traitée d'abord sur le mode ironique et parodique, la question du vêtement prend chez Flaubert un accent douloureux. Son ironie n'est que l'envers d'un fétichisme, en même temps que d'un romantisme inguérissable dont il ne cesse de se châtier; de son désespoir aussi, peut-être, de ne rien trouver à opposer à l'universelle illusion, à l'absolue vanité qu'il s'est donné pour tâche de dire, et que symbolise le vêtement.

A côté de l'illustre *Madame Bovary* je citerai, à propos de *mundus muliebris,* un roman qui en son temps connut un succès presque égal, la *Fanny* d'Ernest Feydeau, que parraina Sainte-Beuve; ce qui obligea Baudelaire, qui en était encore à attendre un article du puissant critique, à célébrer "l'étonnante puissance analytique, les élégances modernes et le paysage parisien" de ce roman qu'il méprisait. Il est très possible que Flaubert, très lié avec Feydeau, l'ait aidé. Fanny est une sœur d'Emma, se contemporaine (le roman est de 1857), mais plus encore de Mme Arnoux, ce qui s'explique par le fait que Flaubert semble avoir soufflé à Feydeau le sujet de *l'Éducation sentimentale,* à un moment où il songeait à d'autres œuvres. Dans *Fanny,* comme dans *l'Éducation,* une sorte de mystique sensuelle multiplie l'image de la femme aimée, dont la présence constitue à chaque rencontre une *apparition.* Chaque *apparition* appelle un tableau, qui se réfère à la peinture de Rubens dans les moments voluptueux, et, ailleurs, aux élégances modernes des croquis de Gavarni (avec qui Feydeau était lié d'amitié depuis toujours) : femme s'avançant dans le bal, ou entrevue dans sa voiture; femme valsant, femme debout, femme assise devant la cheminée, un pied sur un chenet, femme au miroir etc. Chaque fois la description semble caresser la main et le bras nu, s'attarder aux mouvements du col et aux lignes de la coiffure, et finit toujours par se poser sur le *pied.* Le fétichisme de l'amant s'étend aux meubles et aux objets caressés par la main ou le regard de l'aimée : guéridon, pendule, glace; aux robes, grenat, mauve ou noire; il sacralise le châle et le manchon, l'ombrelle et la broche de camée, et le peigne d'écaille que Fanny passe dans ses "cheveux de soie".

"Quoi! De son dais royal, formé par les étoffes de tous les siècles (celles que porta la reine Sémiramis et celles que façonnent à leur génie Worth ou Pingat) la Mode, entr'ouvrant les rideaux!"

Mallarmé.

"Le grand Worth ordonnateur de la fête sublime et quotidienne de Paris, de Vienne, de Londres et de Pétersbourg."

Mallarmé.

Les Rougon-Macquart fournissent abondamment au corpus de la mode décrite; il n'est que de songer à l'importante garde-robe de la belle Mme Saccard (*La Curée*) : robe lilas de la promenade au Bois, blanche de la présentation à Compiègne, celle dont la tunique semble empruntée à l'uniforme des gardes françaises et qui séduit le jeune Maxime, la verte, si décolletée, du dîner et celle, de faille rose, du grand bal officiel. Et Zola décrit tout, et tout sent le document. Il semble que le romancier ait emprunté à Alexandrine son journal de modes. Il en va des robes comme des meubles, de l'argenterie, des fleurs de la serre, ou ailleurs des fromages. Les robes ne font que grossir les énormes inventaires de tout ce qu'accumulent, pour se loger, se nourrir, se vêtir, les voraces parvenus du Second Empire. Les descriptions mêmes de ces robes, si riches, si chargées en rubans, dentelles, bouillonnés, nœuds, volants, broderies et perles de jais, et le très grand nombre de descriptions, évoquent cette abondance, ce grand mouvement industriel et commercial qui se fait jour dans les premières grandes expositions universelles, et dont profitent les métiers de la mode. On sait que, dans le but louable de donner un coup de fouet à l'industrie et à l'artisanat, l'Impératrice Eugénie avait mis à la mode ce qu'elle nommait ses *toilettes politiques,* où se conjuguait tout ce dont la production assurait la subsistance des canuts lyonnais, des passementiers du faubourg Saint-Antoine, des dentellières d'Alençon, sans oublier les brodeurs, fleuristes, plumassiers, fabricants de boutons et de paillettes.

Les robes de Renée Saccard sont aussi représentatives d'un temps où la mode semble créée uniquement pour les demi-mondaines et où l'on ne parle à la Cour et partout que de chiffons. Renée en parle avec son beau-fils Maxime, jeune homme cousu aux jupons parfumés de sa belle-mère; on le trouve toujours traînant dans le coin du salon réservé aux dames et il connaît tous les bons faiseurs de Paris. Naturellement il fréquente le lycée que Bourget appellera "le lycée des gandins", Bonaparte (l'actuel Condorcet), où il étale ses élégances, "ses cravates prodigieuses, ses chapeaux ineffables, ses porte-cigarettes à fermoir d'or", un Chéri avant la lettre, qui pourrait bien avoir inspiré à Colette son personnage.

Mais dans la *Curée* (1871), rien qui révèle un regard très original, l'intuition, le sentiment du chiffon; toutefois, parmi des clichés (l'habit noir qui fait ressortir la blancheur des épaules), tel raffinement de coquette qui se retrouvera dans la *Chérie* d'Edmond de Goncourt : les tentures du cabinet de toilette choisies pour faire valoir ici la nudité de Renée, là le teint de la jeune fille. Parfois un effort vers l'image : plis durs et vernis du satin qui font penser à de la porcelaine; ou un mot de moquerie sur la haute couture qui s'intellectualise, s'emphatise, faisant du couturier un *créateur*! Mais *la Curée* a le grand mérite de mettre en scène, sous le pseudonyme transparent de Worms, le grand couturier de l'Impératrice et de toute la haute société, l'inventeur du mannequin vivant, "le tailleur de génie devant lequel les reines du Second Empire se tenaient à genoux", l'illustre Worth. Zola nous fait entrer avec Renée et Maxime dans le salon-temple où les clientes, assises sur les larges divans, attendent pendant des heures, en mangeant des petits fours et en buvant du madère. Quant au *Créateur,* le portrait qu'en fait Zola est à la limite de la caricature. Le romancier saisit le couturier dans le moment de l'inspiration où, écrit Zola, "descendant tout au fond de son génie" et "avec une grimace triomphante de pythonisse sur son trépied", il invente la toilette selon la cliente; et, ailleurs, en panne d'inspiration, il renvoie cliente et toilette à plus tard.

Pas de couturier dans *Son Excellence Eugène Rougon* (1876), encore que l'on y soit dans les avenues du pouvoir, et que l'impératrice paraisse à Compiègne dans son rôle d'hôtesse, mais avec une toilette modeste, robe de soie bleue recouverte d'une tunique de dentelle blanche. L'héroïne du roman, la belle Clorinde Balbi, n'a pas en effet le goût de la toilette : elle ne connaît que le négligé, le voyant, l'indécent. Trois de ses toilettes ont pourtant droit aux honneurs d'une description en règle, qui joue la précision de la gravure de mode, parce qu'elles sont liées à des moments décisifs dans sa carrière de superbe intrigante. D'abord l'amazone de gros drap bleu, corsage à gilet et à petites basques rondes, très collant; col et manchettes de toile, mince cravate de foulard bleu, chapeau d'homme entouré d'une gaze : c'est dans cette tenue qu'après les avoir excitées elle calme les ardeurs de l'Excellence à coups de cravache. La seconde de ces toilettes authentifie l'identification de Clorinde Balbi à la Castiglione : c'est la fameuse robe *Dame de cœur,* que la Castiglione avait porté au bal du Ministre des Affaires étrangères, le 17 mai 1857; elle avait décidé de sa victoire sur le cœur de Napoléon III et fait dire à l'Impératrice qu'un des cœurs était placé un peu bas! C'est en Dame de cœur que Clorinde Balbi, à un déjeuner de Saint-Cloud, séduit Napoléon III. La troisième toilette proclame la toute récente promotion de Clorinde au rang de favorite impériale : elle joue à la vente de charité des Tuileries son rôle de cabaretière accorte en robe de satin jaune (couleur alors très audacieuse, et que Pingat se plaignait encore en 1883, dit Edmond de Goncourt, de ne pouvoir faire adopter par sa clientèle) coupée d'un biais de satin noir, "aveuglante, extraordinaire, un astre dont la traîne ressemblait à une queue de comète". Et, sur le décolletage très profond, le collier de chien en velours noir porte enlacés les prénoms tracés en brillants du maître et de l'heureuse esclave.

En somme Zola, fidèle à son projet de dire la sensualité d'une époque, montre surtout l'érotisme des toilettes, soit que, répandue sur la robe, la dentelle Chantilly joue les dessous apparents, soit qu'au contraire — mais l'effet est identique — l'absence de liseré blanc au col ou aux manches suggère avec le linge aboli la nudité toute proche et offerte. Ici, c'est un corsage collant "comme une peau vivante qui gante les épaules, la gorge, les hanches"; là, une robe d'un rose imitant si bien la couleur de la peau qu'elle en "prolonge la nudité au-delà de l'échancrure du corsage". Étoffe et chair se confondent, que "la moire satinée des épaules prenne aux lumières un luisant de soie", ou que le désir fasse passer ses "moires chaudes sur la peau de satin" de la belle Italienne.

"Tiens, laisse-moi bêler tout aux plis de ta jupe."

Jules Faforgue.

Comme toute son époque, mais avec un peu plus de sensualité encore, Zola se laisse fasciner par cette jupe dont la mode Second Empire a fait, avec la crinoline, une institution, un monument. L'entrée d'une dame dans le bureau d'Eugène Rougon, c'est l'entrée à reculons d'une énorme jupe de soie bleue, avant que n'apparaisse la tête, surplombée d'une botte de roses sur un chapeau. L'arrivée d'un groupe de femmes, c'est un *assaut,* un *tapage* de jupes. Un mari entre, non pas derrière sa femme, mais *derrière les jupes de sa femme.* Comme Clorinde, posant en Diane, devient soudain aux yeux de l'amoureux Rougon une géante terrible, la jupe semble avoir le pouvoir fantastique de grandir, représentant à elle seule la femme avec sa mystérieuse puissance et son pouvoir tentateur : "dans le tas énorme de ses jupes, ses hanches gonflaient le drap". Et Zola note le trouble sillage de ces jupes (car l'attrait naît de l'odorat autant que de la vue) lorsque, à Compiègne, dans un dîner de quatre-vingt couverts et plus, la salle à manger offre "un bain sensuel où les ordeurs musquées des toilettes se mêlent à un léger fumet de gibier, relevé d'un filet de citron".

Par ailleurs, la description de toilettes, chez Zola, ne répond qu'à une sorte de réflexe. Le roman étant devenu, dans la foulée de Flaubert, essentiellement description, on décrit donc. Passent ainsi au fil des pages, réduites souvent à l'indication d'une couleur, et déclinant tout le prisme, des robes lilas, bleues, vert d'eau, jaunes, roses rayées de blanc, gorge de pigeon, oranges et rouges, en soie, en grenadine, en velours, en cachemire, sans qu'aucun symbolisme régisse le choix de ces teintes, sans que couleur et forme semblent répondre à une intention de la femme, sinon celle de se faire remarquer. La robe a perdu le rôle dramatique qu'elle avait chez Balzac, elle n'inspire plus d'adoration fétichiste comme chez Flaubert; elle n'a plus la poésie que lui donnait Barbey d'Aurevilly, à qui Zola a probablement emprunté une des rares comparaisons poétiques de son roman : la métamorphose de l'amazone Clorinde, jupes serrées aux jambes, reins souples dans une tunique moulante, tête légèrement renversée, en un serpent agile "debout sur la queue vivante de sa robe"; emprunté aussi à Barbey, plus tard, certain poignard d'or planté dans le chignon d'une danseuse au bal Muffat (*Nana*), et la cotte de mailles dont l'habille un corsage brodé de perles de jais.

Chez Zola, la poésie reprend ses droits avec la vision globale des toilettes féminines dans une foule, un défilé, à la lumière du soleil ou des lampes. L'impressionnisme a rendu l'auteur des Rougon-Macquart sensible au *miroitement,* à la *bigarrure,* aux *panachures,* au *frémissement* ou au *tapage* (ce sont ses mots), comme le seront Daudet et toute l'école de l'instantanéité et du pointillisme descriptif. Soit que les chapeaux d'un défilé dessinent une vague noire, soit que les ombrelles "voyantes, tendues comme des miroirs, mettent des rondeurs d'astres au milieu du bariolage des jupes et des paletots"; soit qu'à Compiègne "la moire satinée des épaules, les fleurs voyantes des toilettes, les diamants des hautes coiffures donnent un rire vivant à la grande lumière", ou qu'à Notre-Dame les femmes étalent "les vives panachures de leurs étoffes claires" à la lueur des cierges qui éclairent le baptême du prince impérial.

C'est lors de ce baptême que s'annonce, dans l'œuvre de Zola, la consécration romanesque de la mode et du chiffon : le cortège impérial s'avance vers Notre-Dame, par le pont d'Arcole; comme fond à ce tableau officiel, se dresse, à la pointe de l'île Saint-Louis, sur toute la hauteur d'une maison de six étages, une redingote grise peinte à la fresque, de profil, la manche gauche pliée au coude, proclamant l'excellence d'une maison de nouveautés. Zola tient si bien à sa réclame monumentale qu'il la fait reparaître dix pages plus loin, pour donner à Gilquin l'occasion d'une plaisanterie de titi parisien devant ce qui représente pour lui l'image du Petit Caporal : "Tiens! l'oncle". Et le long morceau de bravoure du baptême emprunte sa claironnante image finale à cette "réclame monumentale, accrochant, à quelque clou de l'horizon, la défroque bourgeoise d'un Titan, dont la foudre aurait mangé les membres".

> *"On peut dire maintenant que quelques établissements universels, à eux seuls, contiennent tout le rêve en pièces et en boîtes et confectionné même, d'une Parisienne".*
>
> Mallarmé.
>
> *"Maisons de blanc : pompes voluptiales."*
>
> Laforgue.

Les Titans, Zola va les voir s'incarner dans les Saccard et les Mouret. Mouret, c'est le créateur du grand magasin *Au Bonheur des dames,* et le héros du roman (1883) qui porte ce titre. Cette création prend en effet la forme d'une conquête qui demande cinq années, et dont le roman retrace l'histoire en trois actes, ou plutôt en trois batailles. Mouret livre la première lors de la grande exposition-vente des nouveautés d'hiver, où la petite Denise, fraichement débarquée de Valognes, fait ses premières armes. C'est l'Austerlitz de Napoléon-Mouret : dès le matin (on est le 10 octobre), brille sur le champ de bataille de la rue de la Michodière le soleil d'une victoire qui, d'abord douteuse, éclate, totale, dans l'après-midi. La seconde bataille correspond à l'agrandissement des magasins qui s'ouvrent maintenant sur la rue Neuve-Saint-Augustin; elle dure les trois jours consacrés en mars aux nouveautés d'été. La troisième victoire suit la prise de possession de tout l'îlot compris entre les rues de la Michodière, Neuve-Saint-Augustin, Monsigny et la rue tout nouvellement ouverte du Dix-Décembre (l'actuelle rue du Quatre-Septembre), sur laquelle donne l'entrée monumentale du *Bonheur des dames.* De cette conquête, la grande exposition de blanc apparaît comme le candide *Te Deum.*

Cette création d'un empire du chiffon peut aussi s'inscrire en chiffres, comme un inventaire ou un bilan : en trois étapes, le nombre des employés passant de 100 à 1 800 puis à plus de 3 000; les rayons, de 28 à 39, puis 50; le nombre des catalogues doublant, comme la somme affectée à la publicité qui couvre les murs de Paris et les feuilles des journaux; le chiffre des ventes pour une journée se gonflant de 80 000 francs (très anciens évidemment!) à plus d'un million (d'autrefois); 62 voitures et 145 chevaux promenant dans Paris et dans sa banlieue, avec la marchandise à livrer, le nom du *Bonheur des dames* en lettres sang et or. Et, en un seul jour, 40 000 ballons de baudruche, distribués aux enfants des clientes, élevant la gloire de Mouret dans le ciel de Paris. Et, chaque jour, dans ce grand magasin qui conjugue les activités des Galeries Lafayette ou du Printemps, et celles des Trois-Suisses ou de la Redoute, les lettres des clientes provinciales ne se comptant plus, mais se pesant : 50 kg par jour, et le double le lundi!

C'est que le vainqueur a du génie. Et pas seulement celui de l'homme d'affaires, mais aussi celui du poète et du grand capitaine. *Génie, poète, général,* écrit Zola. Despote aussi, le *roi despotique du chiffon,* régnant sur un peuple de femmes, son bétail. On le voit tantôt au milieu de sa cour de dames, chez la belle Mme Desforges, sa favorite, tantôt présidant ce conseil des ministres qu'est la table ronde des douze employés intéressés dans l'affaire; tantôt passant en revue ses troupes, les vendeurs, et se déclarant satisfait; imposant sa stratégie aux étalagistes, qui sont encore de la vieille école. Et les vendeurs, comme les soldats de Bonaparte, dont on sait qu'ils avaient leur bâton de maréchal dans leur giberne, montent en grade à chaque saison "comme des officiers, écrit Zola, en temps de campagne".

Du conquérant, Mouret a le calme avant la bataille; mais, l'action engagée, il allume des incendies en exaltant les couleurs violentes, et les pièces d'étoffe flottent comme des drapeaux. Napoléon, Mouret l'est jusque dans sa façon cavalière de marier à un de ses sous-lieutenants roturiers une demoiselle de Fonteneilles dans la dèche, d'allier ainsi la vieille aristocratie à la nouvelle société, le passé à l'avenir. Il n'oublie qu'une chose, l'Empereur Mouret, la cérémonie du Sacre, où il se laisse distancer par son rival des *Quatre-Saisons,* qui obtient de l'Archevêque de Paris qu'il bénisse ses magasins, c'est-à-dire, comme disent les mauvaises langues, les pantalons des dames. Mouret n'aura pas de Waterloo. Le mot se lit dans le roman, mais pour signifier la défaite du Lyonnais Gaujan, un des nombreux vaincus rassemblés par deux fois derrière le cercueil des dames Baudu.

Est-il besoin de rappeler qu'*Au Bonheur des dames,* se fondant sur l'irrésistible ascension des Chauchard et des Boucicaut, est un extraordinaire document sur la mode telle que l'on faite les grands magasins; un document sur la stratégie commerciale moderne fondée sur la publicité, le renouvellement incessant du capital, et l'intéressement des vendeurs; un document sur la condition ancienne du calicot mal nourri, chien couchant derrière son comptoir, et des vendeuses condamnées à ne jamais s'asseoir pendant treize heures de travail, et terrifiées par la perspective des deux mortes saisons et du chômage technique sans rétribution qu'elles signifient.

La réussite de Mouret s'appuie surtout sur l'utilisation maximum et cynique des faiblesses de la cliente, préalablement élevée au rang de reine. Zola parle de son Mouret comme d'un *moraliste,* nous dirions aujourd'hui un psychologue : sa cliente, il la tente et l'absout en même temps par le bon marché, il l'affole en plaçant l'objet pour lequel elle est venue au bout de la galerie des tentations, en changeant les rayons de place; il la tient en séduisant ses enfants, il la pousse à la kleptomanie. Il ajoute ainsi une variété nouvelle à la longue liste des névroses que dresse à la Salpêtrière le professeur Charcot.

Mais ce qui nous intéresse ici, c'est la transfiguration que fait subir à la réalité fournie par les documents le romancier-poète. Son apothéose de la mode s'obtient, comme chez les poètes, par des comparaisons, métaphores, analogies, correspondances. Le grand magasin moderne se métamorphose tour à tour en locomotive, en gare, en cité, en Babel, en monstre, en ogre, pour revenir toujours à la fournaise, à la machine lancée à tombeau ouvert : et la glissoire qui engouffre les marchandises dans les soutes hurle comme un Niagara. Autre registre : comme les étalagistes de Mouret, en veine de poésie commerciale, édifient à l'aide de gants et de mouchoirs des châteaux de cartes et des châlets suisses, l'écrivain tranforme son exposition de tissus en une *serre* où, comme d'elle-même, l'ossature de fer s'amollit en *guipure*. Roman sur la mode où les personnages *racontent* des robes, *Au Bonheur des dames* est, dans son glorieux final, le "poème des vêtements de la femme"; et le blanc, différent selon que le tissu est mat ou brillant, lourd ou léger, se multiplie en d'infinies variations, se feuillette en savante fugue, qui élève l'âme.

D'autres comparaisons l'élèvent moins, telle l'image récurrente de l'alcôve, le linge creusant des chambres d'amour où toutes les blancheurs des étoffes rivaliseraient avec celle d'un beau corps : "toutes les pâleurs laiteuses d'un corps adoré se retrouvaient là, depuis le velours des reins, jusqu'à la soie fine des cuisses et au luisant de la gorge", peau et chiffon une fois de plus indistincts, et qu'un seul et même vocabulaire confond.

"O ma Tout-universelle orpheline
Au fond des chapelles de mousseline".

Laforgue.

Mais le principale comparaison, que l'auteur impose dès le début et qui se retrouve tout au long du roman, relève d'un autre registre : c'est celle du magasin avec un temple, temple de la nouvelle religion, du nouveau *culte* "élevé à la folie dépensière de la mode". La cliente d'*Au Bonheur des dames* n'est pas cette provinciale d'un roman de la même époque qui, servante de deux maîtres, le Chiffon et Dieu, termine sa journée de courses dans les grands magasins en allant confesser quelque adultère à un prêtre de Saint-Louis d'Antin, qui ne la connaît pas, avant de se rembarquer à la gare Saint-Lazare. Non, le *bétail* de Mouret demande au grand magasin (Mouret s'en vante!) d'occuper à la fois son temps et son cœur, comme faisait naguère l'église. *Église,* ce grand magasin qui fournit au peuple des femmes son nouvel opium. On rencontre au moins cinq occurrences du mot lui-même, six de *chapelle,* deux de *cathédrale, tabernacle, nef;* à quoi il faut ajouter : *autel, jubé, confessionnal, bannières, couvent.* C'est un temple pseudo-gothique, antique et moderne, barbare aussi, édifié à la déesse Mode par Mouret le Tentateur, et dont la diabolique puissance et la magique pérennité semblent assurés par le sacrifice de la douce épouse murée dans les fondations, la belle Mme Hédouin, première femme de Mouret.

Nana ne fréquente pas *Au Bonheur des dames.* Elle en aurait eu le temps, puisqu'elle ne meurt, à la suite, il est vrai, d'une longue éclipse parisienne, qu'un an après l'apothéose de Mouret. Le roman qui porte son nom date de 1878, un peu avant que Zola ne s'intéresse au Bon Marché, au Louvre et aux Galeries Lafayettes. Elle n'a donc pas connu les tentations de la kleptomanie, ni le terrible dilemme : couturière ou grand magasin? Ce qui ne l'empêche pas de très bien se ruiner en chiffons. De Worth, qui habillait Renée Saccard, on est tombé à un émule de Pingat, mais c'est le même déballage de soie, de satin, de Chantilly exhibées dans les four-in-hand, les dog-carts, les landaus et les victorias qui descendent les Champs-Élysées, ou dans les théâtres du Boulevard où paraît un instant, dans une redingote impeccable, le prince de Galles, représentant de l'élégance britannique. Au déguisement de Renée en garde-française correspond ici, quelques crans en dessous, celui Nana en jockey, portant les couleurs de l'écurie Vendœvres et coiffée en queue de cheval, — ou de pouliche.

7

Mallarmé et les solennités du monde

"Des parfums, des fleurs, des schalls, des colliers
Dans un château vaste."

Charles Cros.

Son exil provincial retarda l'accès des hautes régions de la mode à celui qui devait si bien en parler. Le poète en prose des années de Tournon ne songe pas encore aux élégances couturières. La beauté féminine réside pour lui en la nudité, en "une chair heureuse"; la "noble créature" est une femme d'autrefois, dont la beauté ne doit rien aux ressources de l'élégance et du maquillage. "A la place du vêtement vain, elle a un corps". Nous sommes loin de Baudelaire qui d'ailleurs, à la lecture du *Phénomène futur,* nota son désaccord. Dans les premiers poèmes en prose, la mode n'apparaît qu'en repoussoir, dans la si poétique et tendre évocation de la pauvre bien-aimée "errante, en habit de voyageuse, une longue robe terne couleur de la poussière des routes, un manteau qui collait à ses épaules froides, un de ces chapeaux de paille sans plume que les riches dames jettent en arrivant, tant ils sont déchiquetés par l'air de la mer, et que les pauvres bien-aimées regarnissent pour bien des saisons encore". Souvenir du passage en Angleterre avec sa fiancée en novembre 1862. Mais il faut citer la fin du poème : "Autour de son cou s'enroulait le terrible mouchoir qu'on agite en se disant adieu pour toujours''.

Ce n'est point là l'élégant boa des belles dames. Mais les choses fanées n'ont-elles pas leur élégance discrète et émouvante? Et déjà le poète qui ébauche *Hérodiade* s'enchante des mots dont usera le chroniqueur de *la Dernière mode,* calices des robes, dentelles pures et belles guipures, miroir et moire.

A peine devenu Parisien, au printemps 1871, Mallarmé part pour Londres d'où, sous le pseudonyme de L. S. Price, il rend compte pour *le National* de l'Exposition universelle, où il découvre la fusion de l'art et de l'industrie qui va permettre le renouvellement du ''décor familier de notre existence quotidienne'' par le mouvement *Arts and crafts.* Cette visite de l'Exposition de Londres est comme un noviciat pour le futur auteur de *la Dernière mode* à laquelle il ne songe pas encore. Car elle naîtra de l'échec d'un projet plus ambitieux, mais moins original, celui d'une luxueuse revue mensuelle consacrée à la poésie, comme sera au début de 1874 l'éphémère *Art décoratif* fondé par Charles Cros. *La Dernière mode, gazette du monde et de la famille* reprend en partie les ambitions avortées en s'ouvrant aux amis poètes. ''Littéraire presque autant que technique'', écrit Mallarmé qui précise : ''et c'est la première fois qu'un journal de modes montre cette double visée''.

> Avoir la durée du tulle ou des roses artificielles imitant les roses et la clématite, voilà vraiment le rêve que fait chaque phrase employée à écrire, au lieu d'un conte ou d'un sonnet, les nouvelles de l'heure.
>
> in *La Dernière mode.*

La première livraison paraît le 6 septembre 1874; il y en aura deux par mois, le premier et le troisième dimanche. La huitième et dernière, mais qui ne se savait pas telle, le 20 décembre, annonce que la revue s'imprimera désormais sur un papier d'une teinte jaunie, qui fera mieux chanter le noir des gravures. Très belle, *la Dernière* mode se présente en format in-folio, s'habille d'une couverture bleu pâle qui annonce de quoi traitent les huit pages, en cinq vignettes représentant : une loge de théâtre, une femme se baignant au pied d'une falaise, un couple de cavalier et amazone, une table servie, et un groupe de jeunes femmes cousant. Avec les modes, les sports, la chronique mondaine, la gastronomie et la décoration, sont aussi annoncées des nouvelles et des vers par les principaux conteurs et poètes de l'époque. Y publieront Banville, Coppée, Sully Prudhomme, Léon Valade, Alphonse Daudet, Ernest d'Hervilly, Emmanuel des Essarts, Léon Cladel, Catulle Mendès. Zola et Villiers pressentis n'eurent pas le temps d'y écrire, puisque la revue passa fin décembre aux mains d'une quelconque baronne de Lomaria, au grand regret de son directeur qui avait pourtant dû se sentir souvent submergé par l'ampleur de la tâche. Car, sous les noms de Marasquin directeur, de Marguerite de Ponty puis de Miss Satin, de Marliani tapissier-décorateur, de Ix chroniqueur théâtral, du chef de bouche du restaurant Brébant et du Jardinier en chef de la ville de Paris (ces deux derniers apparemment existant!), Mallarmé rédigeait toutes les rubriques, typographiait même matériellement seul, à ce que dit Remy de Gourmont, se tenait au courant des *maisons de confiance* comme des théâtres, annonçait les livres nouveaux, dispensait aux mères de famille des conseils d'éducation aussi bien que de décoration, et répondait aux lettres des lectrices. Une Mme Charles (on espère qu'elle était moins mythique que Marguerite de Ponty et Miss Satin) se chargeait de faire les courses pour les lectrices provinciales ou étrangères. En tout cas le but était bien atteint de faire se rencontrer la poésie et le chiffon, puisque, dans les encadrés des maisons de confiance, le nom de Lemerre, 44, passage Choiseul, renvoyait à une dame spécialisée dans la mode pour enfants et jeunes demoiselles, fournisseur de son Altesse Royale d'Espagne! Mallarmé ne dit pas qu'en habillant ses enfants on pouvait, dans le même passage, chez un autre Lemerre, se procurer les deux premiers recueils du *Parnasse contemporain*!

La Dernière mode pose à la lectrice naïve que je suis deux questions. La première : comment Mallarmé parvint-il à faire face à tant de tâches, à s'y retrouver dans les détails couturiers, liserés, plissés, rouleautés et autres biais, bouillons et passepoils, brandebourgs et bouffes? Comment connaissait-il les vertus de la roulette d'aiguilles qu'il conseille à ses lectrices pour relever les patrons grandeur nature, en papier (ou en mousseline sur demande) qu'elles trouvaient dans chaque livraison; et celles de la machine "à piquer"? Trouva-t-il en Mme Mallarmé une collaboratrice? Seconde question : comment les lectrices du dimanche, plus habituées sans doute au style *coulant* de Jules Sandeau et d'Octave Feuillet ne se décourageaient-elles pas d'avoir à s'y reprendre plusieurs fois pour comprendre certaines phrases aux audacieuses inversions? Remy de Gourmont suppose qu'elles lisaient seulement ce qui, parfois, leur rappelait la syntaxe limpide de leurs habituels journaux de modes.

Aux réponses de la rubrique *Correspondance avec les abonnés* on devine les ennuyeuses lettres reçues, et l'on admire la patience et l'aménité du poète : réclamations, cas de conscience couturiers; l'une ne sait quelle couleur choisir, une autre réclame un modèle de pantoufles à broder. Et pourquoi un journal spécialisé n'a-t-il pas parlé de la *fanchon-frileuse* et du *col à l'Incroyable,* dont les quotidiens eux-mêmes ont déjà annoncé la naissance? Non, il n'est pas facile d'élever le débat, quand on parle mode!

"La question du luxe fut traitée à fond."
Voltaire.

La Dernière mode s'inscrit dans la suite du *Traité de la vie élégante* par la très grande extension qu'elle donne au mot de *mode.* Son objet : "intéresser aux habitudes du beau ordinaire". La lectrice une fois habillée selon la belle lithographie aquarellée qui ouvre la revue, et habillés aussi sa grande fille et son petit garçon, Mallarmé lui offre des idées pour aménager un faux plafond à caissons, installer un aquarium, transformer une lampe ancienne en lampe à gaz; il lui compose les corbeilles de son jardin d'été, lui établit des menus de famille, de grand dîner, de réveillon, pour les bains de mer et pour la chasse, sans oublier les cigarettes russes, la liqueur de la Veuve Amphoux et le champagne de la Veuve Cliquot. Il lui propose un calendrier de sorties, expositions, spectacles et matinées littéraires, une liste de plages; enfin il entend parer son âme en lui indiquant la musique à entendre, le peintre auquel confier le soin de son portrait. Et il rêve de voir l'union de l'élégance et des lettres "scellée par la rencontre, sur un coussin brodé de chimères, du livre de poèmes et de l'écrin de bijoux".

"Savez-vous pourquoi il y a tant de gens mal habillés, monsieur le marquis? C'est qu'on veut choisir ses habits au lieu de choisir son tailleur."

Propos d'Humann, *le célèbre tailleur.*

"La dernière personne que je consulterais pour ma toilette, c'est ma couturière."

Claire, duchesse de Duras.

Héritière du *Traité* balzacien, *la Dernière mode* l'est aussi par sa visée aristocratique. Sa clientèle, que nous révèle la *Correspondance avec les abonnés,* est aristocratique, qu'elle se recrute en province ou à l'étranger, Londres, Berlin, Varsovie, Saint-Pétersbourg, Milan, Madrid. La revue, qui entend s'opposer au "journal de mode suranné", veut être non seulement "un recueil de modes", mais "le recueil à la mode". Elle est la première revue de ce genre qui a la prétention de ne pas échouer à la lingerie entre les mains de la femme de chambre qui va exécuter la robe pour sa maîtresse, mais bien de demeurer sur la table du salon. Journal du *high life, de la haute vie, elle aime le mot de fashion* (c'est le titre de la rubrique de

Miss Satin) et de *fashionable;* elle veut rendre compte des *solennités du monde,* suivre les lectrices dans leur "grande vie de château", dans leurs "grandes résidences nobiliaires". Mallarmé s'enchante de la vie, de l'hospitalité, de l'arrière-saison *châtelaines.* Il veut que la mode soit un art, et que cet art ne soit pas seulement celui de la grande faiseuse ou du couturier, dont les maisons ne sont pour lui que les laboratoires de la mode. Il invite ses lectrices à inventer, comme il lui arrive de faire lui-même, une élégance qui soit aristocratique, et qu'il ne faut pas confondre avec le *chic.* L'idée, qui était déjà celle de Balzac et de Carlyle, de la nécessaire unité, le conduit à conseiller paradoxalement à la femme élégante qui doit choisir une broche de demander conseil, plutôt qu'à son bijoutier, à l'architecte de son hôtel.

Il y a un grand charme à imaginer, à travers les descriptions de Marguerite de Ponty, et, si l'on a la chance d'avoir sous les yeux *la Dernière mode* dans son édition originale, grâce aux lithographies et gravures, la mode de l'automne 1874. Les tissus? Des étoffes lourdes et ramagées, frappées, à grosses côtes : brocarts, gros grain, matelassés. Les teintes? Neutres, comme il convient à l'automne, le cachou qu'on nomme aussi *gysèle,* avec une exception pour le cachemire bleu pâle de l'indispensable tunique. Les formes? Tunique à basque ronde ou pointue, en forme d'écharpe ou non, avec le *retroussis* fendu; jupe boursoufflée de volants, nœuds, couronnes, guirlandes de fleurs, chicorées, et qu'écrase par-devant le tablier, lequel se relève et se prolonge, en arrière, en flots de nœuds. Troisième pièce du costume : le corsage, qu'on n'a guère l'occasion de voir, et qui se lace dans le dos. Sont aussi à la mode la lavallière écossaise et le collier-bagatelle dit *collier de chien.* Mallarmé annonce un changement dans cette ligne : il croit voir la tournure descendre, la taille s'allonger et tout le costume se rapprocher du corps. Il a raison, mais après la résurrection du pouf en 1883, il faudra attendre 1889 pour voir s'effondrer définitivement la croupe de la femme-centaure.

La Dernière mode n'oublie rien; tout y est, toutes les circonstances sont prévues : promenade, réception, petite visite, grande visite, petit dîner, grand dîner, petites et grandes soirées, théâtre, bal. Et les cas particuliers : par exemple l'étiquette qui interdit à une jeune fille de porter de la plume (remplacée par un effiloché de tissu), ou prescrit à une dame en deuil le châle au lieu de la *confection* (le manteau) et les boucles d'oreilles de bois durci au lieu du jais.

Une mode d'alors séduit Mallarmé : celle des cuirasses de satin, velours ou tricot (oui, quarante ans avant Chanel) constellées de paillettes d'acier ou de perles de jais. Mallarmé en décrit une en satin bleu lacée, et une robe qui, dans le même esprit, est "semée bizarrement d'acier bleu à reflets d'épée". Ne semblent-elles pas inspirées par les cuirasses des *fair warriors* de Barbey d'Aurevilly, dont *les Diaboliques* paraissent justement au mois d'octobre 1874, et font beaucoup de bruit, à cause du scandale qu'elles suscitent? On aimerait voir là une influence. Mais, outre que ce n'est guère possible (même en un temps où la mode d'automne ne se décidait pas encore dès Pâques, et même plus tôt), Mallarmé remarque que les cuirasses avaient déjà fait une timide apparition l'hiver précédent. Coïncidence alors? Ou divination de la mode chez Barbey d'Aurevilly?

Proche de Barbey, Mallarmé l'est aussi de Baudelaire. Il aime la femme moderne, et presque dans les mêmes termes que l'auteur du *Peintre de la vie moderne,* il se réjouit avec ses lectrices de voir le peintre du tout nouvel Opéra substituer au "modèle général et presque abstrait de la beauté traditionnelle, les types que nous voyons à tout instant surgir d'une loge ou d'une voiture ainsi que la perfection variée, ou se pencher au bal sur une épaule". Mais il ne partage pas le goût de Baudelaire pour l'artifice. Des garnitures, il aime ce qui reproduit "la flore du songe ou bien de nos parterres", ce qui fait éclore "des calices et des pistils d'étoffes".

Toute je l'évoquais lustrale.
in *Le Nénuphar blanc.*

Ce que Mallarmé apprécie dans les catalogues des grands magasins ("plusieurs, dit-il, soignés comme des éditions pour bibliophiles"), c'est qu'on y peut rêver. La mode de cet automne 1874, hors peut-être les cuirasses, ne porte pas tellement à rêver. C'est encore la mode-housse quand "les contours crénelés des robes donnaient aux flirts du temps, écrit Montesquiou, quelque chose d'obsidional et, aux amoureux qui les entouraient, l'allure des assiégeants d'une ville". Cette mode, on l'eût souhaitée allégée pour "simplifier avec gloire la femme"; et l'on en vient à regretter que *la Dernière mode* n'ait pas survécu à Noël, que Mallarmé n'ait pu suivre ses lectrices à la campagne, au bord de la mer, les vêtir de claires et légères robes, pour frôler l'herbe et l'écume; ce qui aurait contenté son goût du fluide et du vague, de l'un-peu-plus-nu, de la "dentelle abolie", de la "robe pâlie", de la gaze se faisant musique en un monde des correspondances où, inversement, on passe de la musique à la couleur par "la transition des sonorités aux tissus". On aurait aimé voir autour des élégantes

> L'ombrage d'un autre mystère
> Que le seul chapeau Liberty.

On songe à l'éloge qu'il fera vingt ans plus tard de Berthe Morisot, elle qui restitue "le satin se vivifiant à un contact de peau, l'orient des perles à l'atmosphère" et "dévêt", en négligé idéal, la mondanité fermée au style, pour que jaillisse l'intention de la toilette dans un rapport avec les jardins et la plage, une serre, la galerie". Et les élégances fluides peintes par Berthe Morisot lui suggèrent le néologisme de *nitidité.*

La Dernière mode n'a donc pas connu l'été et le grand air; on peut s'en consoler en feuilletant le catalogue du *Bon Marché,* dix-neuf pages sur papier Bible, pour la Saison d'été 1875; car, soleil ou pas, il fait peu de concession à la fluidité! Mais, quelle que soit la mode, que la robe s'alourdisse de sept écharpes, de sept volants, ou de mètres de guirlandes, Mallarmé la voit quand même "aussi fugitive que nos pensées". Et elle le fait rêver; il l'imagine : "Toilette de dîner en cachemire, je l'ai vue rose; comme vous pouvez la voir bleue"; ou bien, après la description de la robe bleu-rêve : "On n'a qu'à la vouloir pour se figurer..." Remy de Gourmont, dans son article des *Promenades littéraires* consacré à *la Dernière mode,* a bien dit comment Mallarmé, dans des pages d'une "valeur professionnelle surprenante", est resté poète pour évoquer la robe avec des "entrelacs de mots", avec sa langue et sa syntaxe de poète. Il cite cette "première jupe garnie de *maint* bouillon horizontal", ce *maint* court et plein qu'aime Mallarmé et qui rappelle la *Prose pour Des Esseintes :*

> Sur maint charme de paysage
> Ô sœur, y comparant les tiens.

Et il conclut que "ces fascicules bleu-rêve ont prouvé qu'armé de style, on peut imprimer sa griffe [langage de couturier!] même à une recette d'officine [la recette du sirop contre la toux], même à la description technique d'une robe, même à la rédaction d'une réclame ou d'une annonce".

Le chroniqueur théâtral remplacera le chroniqueur de modes dans son "devoir absolu de raconteur parisien", pour raconter "l'envolée de vêtements" de la Loïe Fuller et sa "presque nudité, à part un rayonnement bref de jupes" (1887). Et c'est à travers Whistler, dont il traduit le *Ten o' clock,* que Mallarmé trouve à exprimer sa modernité. Pour le peintre anglo-américain, chaque époque est moderne et toutes les époques sont grandes : les brocarts vénitiens valent les draperies classiques d'Athènes; les jupes inesthétiques des infantes de Vélasquez sont de même qualité que les marbres d'Égine. Légende, que l'existence de périodes artistiques et de peuples amoureux de l'art : il n'existait que du beau "jusqu'à ce que se leva une classe nouvelle qui découvrit le bon marché et prévit la fortune dans la fabrication du faux. Alors, conclut Whistler, jaillirent à l'existence le clinquant, le commun, la camelote".

Fort de ce modernisme qui n'exclut que le toc, Mallarmé accepte l'élégance masculine de son siècle, qu'il voit bien représentée en Montesquiou, avec qui il est lié d'amitié depuis 1879. Il accepte l'habit noir et exalte dans sa préface à *Vathek* (1876) "le dandy fascinateur de l'époque", Brummell. Il transfigure même les sombres habits de l'homme du monde, quand il les voit portés par des génies amis : Villiers de l'Isle-Adam

quelques soirs, en redingote, jeune et suprême, évoquant du geste l'Ombre tout silence [c'est-à-dire Edgar Poe]

ou Whistler, discret et précieux, ténébreux et mondain, éclatant

en le vital sarcasme qu'aggrave l'habit noir au miroitement du linge comme siffle le rire.

Après 1890, les réponses de Mallarmé aux enquêtes alors à la mode, sur la *mode* comme sur la *littérature* (enquête de Huré sur le naturalisme par exemple), précisent son jugement sur le beau et l'utile, et sur les inventions récentes. Au beau qui risque de sombrer dans l'ornement gratuit, à l'utile que guette l'inélégance et la médiocrité, il substitue le Vrai. Il admet les réussites modernes d'un parapluie, d'une bicyclette, d'un coupé, d'une voiture automobile même, où il découvre le charme de voir s'ouvrir devant soi tout le *site* (le mécanicien placé à l'arrière ne cachant pas le paysage comme faisait le cocher). "Ainsi, écrit-il, le monstre avance avec nouveauté". La fin du texte est intéressante, qui suggère la création d'un contrôle par les poètes de ce qu'on n'appelait pas encore les *designers* : "un jury d'artistes, et de quelques littérateurs, fonctionnerait précieusement, comme des concours : outre que son intervention ne détruirait jamais le laid tout à fait (car il importe de le conserver, à titre d'exception, pour un décor, à des âmes qui sont elles-mêmes camelote)''.

On lui demande s'il préfère, pour les ''chevaucheuses d'acier'', comme il les nomme, et en se plaçant au triple point de vue de la beauté, de l'hygiène et de la correction, le pantalon masculin ou la jupe. Il fait une réponse poétiquement gaillarde : ''Si leur mobile est celui de montrer des jambes, je préfère que ce soit d'une jupe relevée, vestige féminin, pas du garçonnier pantalon, que l'éblouissement fonde, me renverse et me darde''. Et à l'enquête du *Figaro* (en janvier 1897) sur le chapeau haut-de-forme, il répond que le règne n'est pas terminé de ce ''ténébreux météore'' qui commence seulement, dans sa diffusion furieuse, à faucher les diadèmes, les plumes et jusqu'aux chevelures''. Ce huit-reflets, il l'appelle dans une lettre à Courteline ''notre coiffure trop absolue''.

Il faut pour terminer en revenir à la mode féminine, que Mallarmé célèbre comme contribuant à ''l'apothéose de la rue'' : belles dames des beaux quartiers, ou belles cousettes au sortir des ateliers de la rue de la Paix. On pense par contraste à Vallès, déplorant dans *la Rue à Londres* qu'on n'y voie pas d'élégantes promeneuses. L'apothéose de la toilette, Mallarmé la célèbre aussi dans l'intimité de la voiture ou du salon, cette élégance si proche et si mystérieuse de ''l'interrogatrice toilette'', si imposante pour le monsieur ''en faveur de qui s'achève l'après-midi''! Un autre jour, le monsieur, moins intimidé, légende d'un quatrain-madrigal l'éventail ou la photographie de la dame :

> Je ne sais pourquoi je vêts
> Ma robe de clair de lune
> Moi qui, déesse, pouvais
> Si bien me passer d'aucune.

Mais les plus beaux madrigaux sont en prose, et dans le style du chroniqueur de *la Dernière mode.* Ici la phrase, en un savant ralenti à faire surgir l'apparition de la diva, imite le "rythmique suspens" poétique. Ainsi en va-t-il de cette évocation de la sortie des Italiens, théâtre

> vers où roulent, avec des flots de dentelles et de satin, tous les carrosses de la ville, alignés à l'heure où de l'escalier descendent, déployées, ces toilettes.

On dirait l'apparition de la dernière robe d'une collection. Ailleurs, dans le mouvement d'une jupe *à balayeuse,* on voit s'inscrire la volonté ou le désir qui inspire la marche :

> Subtil secret des pieds qui vont, viennent, conduisent l'esprit où le veut la chère ombre enfouie en la batiste et les dentelles d'une jupe, affluant sur le sol comme pour circonvenir du talon à l'orteil, dans une flottaison, cette initiative par quoi la marche s'ouvre, tout au bas et les plis rejetés en traîne, une échappée, dans sa double flèche savante.

Ou bien la phrase, comme suspendue, traduit les successives découvertes du regard qui descend du chapeau à la chaussure, jusqu'à la révélation de la florale couleur :

> Un coup d'œil, le dernier, à une chevelure où fume puis éclaire de fastes de jardins le pâlissement du chapeau en crêpe de même ton que la statuaire robe se relevant, avance au spectateur, sur un pied comme le reste hortensia.

8

Intimités décadentes et fastes de la Belle Époque (1884-1914)

"Ce siècle avait cent ans".
Jean de Tinan.

La période qu'on nomme *fin de siècle* (ou, si l'on préfère, *avant-siècle*) entérine et vulgarise la condamnation portée par Baudelaire contre la Nature, et sa célébration de l'artifice. L'idée que la Nature a fait son temps s'exprime dans l'*A rebours* (1884) de Huysmans, dont on fait avec raison dater ce que je continuerai d'appeler la *période décadente,* ce qui ne m'empêche pas de l'aimer. Les progrès de la chimie, qui invente l'ersatz, donnent l'idée que l'homme peut disputer à Dieu son privilège de Créateur. Baudelaire semble avoir trouvé un royal disciple en Louis II de Bavière qui, dans ses palais et jardins munichois, refuse tout ce qui est naturel pour n'accepter que les merveilles de l'artifice. Trois romans en trois ans (de Catulle Mendès, Élémir Bourges et Huysmans) se construisent autour de ce personnage de prince fou, et de ses paradis d'où la vie est proscrite. Louis II s'est d'ailleurs en partie "meublé" dans une de ces expositions universelles (celle de 1867) qui proposent les dernières inventions, font une place aux métiers de la mode, et initient les Français à l'étranger et à l'exotique. Villiers-de-l'Isle-Adam, qui n'adore pourtant pas son époque positive, mais qui se passionne pour les inventions, se fait porter, quelques semaines avant sa mort, à l'exposition de 1889.

Ce goût de l'artifice, de l'étrange, du rare, s'affiche dans la toilette d'écrivains-dandys, plus nombreux dans nos trois décennies (1884-1914) que dans les précédentes.

"Les formes modifient les idées et on s'ennuie davantage depuis qu'on s'habille en laid".

Le Sâr Péladan.

Après 1884, que d'écrivains pour qui leur apparence est une constante préoccupation! Maupassant fait blanchir son linge en Angleterre, Daudet adore les couleurs vives, Péladan proclame qu'il veut, par sa toilette, réaliser "l'extériorité de l'idée", et porte des velours violets, des gilets dorés, un burnous de poil et des bottes de daim souple. Verlaine le voit, en Hollande, affublé d'un pourpoint de soie, d'un bonnet d'astrakan et de bottes blanches : "Vive lui! écrit-il, de se moquer du qu'en dira-t-on et d'arborer les vêtements qui lui plaisent, tandis que la majorité des artistes s'habille comme tout le monde et que le même faux-col étrangle le cou de l'aigle et celui de l'oie". Robert de Montesquiou se fait peindre par Whistler en habit noir mais avec une fourrure sur le bras, puis en grand manteau gris à col relevé; et par Boldini, rouant devant une grande ombrelle japonaise. Et c'est Loti, vu par Montesquiou en caban gris, un peu fardé, juché sur des patins très hauts, les mains baguées comme une idole. Et Jean Lorrain, le torse moulé dans un gilet de velours, les cheveux teints au henné et les mains également bossuées de bagues étranges, tel que l'a saisi La Gandara, ou avec une pivoine à l'oreille. Jean de Tinan est un dandy mauve et noir. Maurice Sachs a rencontré une Rachilde sur son déclin, qui était encore tout en mauve, sac, bas, toque, gants et souliers.

Tinan dit spirituellement l'intime union des deux personnages qui coexistent en un dandy-hommes de lettres de ses amis : "il rajuste son monocle du même geste maniéré dont il ajuste les célèbres petits chapitres rosses de ses romans". Mais ces singularités éveillent la méfiance d'un Octave Mirbeau : il suppose "une âme petite, vulgaire, impuissante" à ces gens qui ne s'habillent pas comme tout le monde".

"... l'arabesque tourmentée de cette ligne et de cette élégance".

Jean Lorrain.

Tous les écrivains de cette fin de siècle, dandys ou non, créent leur personnage *dandy, gommeux, cercleux, v'lan* ou *pschut* dont les peintres La Gandara, Jacques-Émile Blanche, Lazslô et les caricaturistes Sem et Capiello ont fixé l'orgueilleuse cambrure. Le Des Esseintes première manière d'*A rebours* s'habille de costumes de velours blanc, de gilets d'orfroi, remplace la cravate par un bouquet de Parme dans l'échancrure de la chemise et convoque tailleurs et bottiers pour leur prêcher le *sermon sur le dandysme.* Devenu l'ermite de Fontenay, il assortit encore avec grand soin, pour un voyage à Londres, "un complet gris souris, quadrillé de gris lave et pointillé de martre", un petit melon, des chaussettes de soie feuille morte et des brodequins à agrafes et à bout découpé, puis s'enveloppe d'un macfarlane bleu lin. Villiers de l'Isle-Adam donne comme amoureux à son Ève future un lord vêtu, comme Brummell, "avec une si profonde élégance qu'il eût été impossible de dire en quoi elle consistait", ce qui rendrait superflue une plus longue description.

Mais il y a les écrivains que leur propre souci d'élégance conduit à décrire avec beaucoup de précision, et quelque complaisance parfois, la toilette de leurs personnages dandys. Maupassant a peuplé ses romans d'hommes soucieux d'élégance, dandy-peintre, dandy-affairiste, dandy-philosophe de salon, dandys riches, et dandys insolvables auxquels leur tailleur souhaite de tout cœur le riche mariage. Le Sâr Péladan, qui s'insurge contre le principe brummellien de discrétion, habille ses dandys, quand il le peut, de somptueux habits anciens. Lorrain, qui déteste lui aussi la silhouette moderne, "ce tuyau de poêle où s'emmanchent les jambes, les bras et le torse d'un clubman étranglé dans un carcan de porcelaine", consacre deux romans à deux écrivains-dandys, ses contemporains : Barbey d'Aurevilly, mort en 1889, revit en Monsieur de Bougrelon (héros-titre), vieux beau en exil, fantoche corseté, sanglé, cambré dans la fameuse redingote à tuyaux ou dans la houppelande en drap carmélite, quand il ne porte pas spencer de velours noir colleté de dentelles, lorgnon et canne de muscadin. La mémoire bavarde de M. de Bougrelon ressuscite les élégances encore plus extravagantes de feu son ami Mortimer, par exemple ces gants pré-surréalistes dont chaque doigt est onglé d'agate comme une patte de tigre. L'autre dandy, c'est Robert de Montesquiou (devenu Monsieur de Phocas, dont le nom fait le titre d'un roman adoré d'André Breton), tout de vert vêtu et couvert de ces pierres précieuses dont il est fou, comme Des Esseintes, et qu'avaient mises à la mode vers 1900 les Russes et les Sud-Américains hôtes de Paris et de la Côte d'Azur. Montesquiou, qui est le Paon de *Chantecler,* le "Surpaon... qui surpend" comme il se présente lui-même modestement, et qui sera Monsieur de Charlus, fournit aussi des traits au gentilhomme-artiste de Henri de Régnier dans *le Mariage de minuit,* M. de Serpigny, et à divers titres à tous les autres mondains du récit, M. de Hangs dont le haut de forme oublié dans l'antichambre montre dans sa coiffe de soie verte un petit miroir, le prince de Bercenay aux cannes célèbres, M. de la Colomberie à l'élégance strictement faubourg-saint-germanesque, et M. de Puifons qui aime les couleurs voyantes, les cravates multicolores et les gilets éclatants.

Bourget, gandin qui veut "être dans le train" et se croit assez fort pour dénoncer au besoin les "hérésies" d'élégance, décrit beaucoup les recherches vestimentaires comme celle de ce personnage de *Cruelle énigme* (ouvrage écrit en 1884 dans *l'Île-aux-dandys)* qui, comme Brummell, fait vernir ses souliers jusque sous la semelle! Bourget a tendance à transformer tous ses personnages en dandys, même le juge d'instruction de l'austère *Disciple,* aux mains lourdement baguées. *Cosmopolis* offre un cocktail de tous les genres d'élégance, française chez le marquis de Maufanon, anglo-italienne chez l'anglomane Castagna, britannique chez l'artiste peintre anglo-saxon (modèle probable, le romancier Henry James) dont visiblement la toilette enchante son homologue Bourget : jaquette de soie piquée, linge très pur, souliers vernis, fines chaussettes noires ponctuées de rouge, "l'air d'un gentleman"!

> *"J'ai reconnu trop tard que ce sphinx n'avait pas d'énigme".*
>
> Villiers de l'Ile-Adam.

> *"Je suis une femme en pierre, Vénus à la fourrure, ton idéal, mets-toi à genoux et adore-moi".*
>
> Sacher-Masoch.

Comme la Monarchie de Juillet avait vu succéder aux *Sylphides* ossianiques et taglionesques les *lionnes* pleines de vie, la fin du siècle voit se succéder, et parfois coexister, les beautés morbides et les sportives. Et plus que jamais la peinture impose ses modèles à la beauté et à la mode. Burnes Jones et Dante-Gabriel Rossetti peignent d'évanescentes jeunes femmes auburn en robes flottantes, et mettent à la mode les toilettes *esthétiques* et le tissu Liberty de William Morris. Gustave Moreau, inspiré par la Salambô de Flaubert, fait rêver toute une époque d'Hérodiades et de Salomés scintillantes de pierreries sur fond de temple composite. On dénombre, dans nos trois décennies, quelque deux mille Salomés inspirant les divers arts : celle d'Oscar Wilde, habillée par Beardsley, impose la *tea-gown* ocellée; Sarah Bernard s'habille en idole selon Gustave Moreau. C'est le règne de la femme-sphinx, innocemment cruelle, au corps d'androgyne, et dont la silhouette se cuirassera de gemmes dans la peinture symboliste d'un Klimt. Reine et prêtresse autant qu'idole, elle aime utiliser à des fins de coquetterie les objets du culte. La Léonora de Péladan (*le Vice Suprême,* 1884) et la Sixtine de Remy de Gourmont (héroïne-titre, 1890) reçoivent assises dans des cathèdres. En 1884, Barrès parle de "ces étoles pieuses dont la mode rhabille les plus belles de nos pécheresses" (c'est, curieusement, pour les comparer, ces étoles, à la poésie religieuse de Verlaine). Et même quand la coquetterie ne pille pas les tiroirs des sacristies, la mode imite la splendeur des ornements sacerdotaux. Montesquiou raconte que sa cousine Greffulhe, assistant, en robe de drap d'or, à un mariage dans la cathédrale de Reims, y faisait concurrence aux dalmatiques des acolytes et aux chasubles des officiants. Les romanciers se mettent au goût de leurs modèles. Des manches à gigot paraissent à Jean Lorrain "renflées comme un ciboire"; et tel personnage de Remy de Gourmont pourrait imiter le sultan des *Orientales* disant son chapelet sur le collier de sa favorite, car dans celui de sa maîtresse il voit luire "le stellaire sourire d'un rosaire de perles".

"Et dans tes doigts je passerai des bagues
Où, sous le saphir, sous l'opale aux lueurs vagues
Dorment les vieux poisons aux effets inconnus".
Charles Cros.

La pierre qui convient à cet inquiétant personnage féminin est l'opale. Les artistes fin de siècle ont adoré les pierres dures aux noms étranges, et qui chantent, sardoine, chrysoprase, orichalque, péridot, béryl, cassidoine, chélonite et cornaline; mais leur préférence va à l'innocente bague des fiancées anglaises dont ils font la piere maléfique aux feux jaunâtres, la pâle opale. L'opale est partout, comme une signature, un signe de reconnaissance ou un mot magique, "trouble et troublante", chez Huysmans, Montesquiou, Mallarmé, Gourmont, Cros, Lorrain, Proust et vingt autres. Chez Villiers, l'opale de

Véra meurt de sa seconde mort, et c'est à l'aide de l'opale portée à son petit doigt gauche qu'Hadaly, l'Ève future, met son poignard en relation avec le courant électrique très puissant qui foudroierait l'homme assez audacieux pour vouloir lui ravir un baiser.

L'autre constante de la mode décadente : la fourrure, dont les anciens peintres, dans leurs emblématiques tableaux de Vanités, parait la Folie. C'est avec cette signification qu'elle apparaît dans *la Vénus à la fourrure* de Sacher Masoch (1870, ouvrage traduit en 1902, mais déjà connu avant sa traduction). Petit-gris, astrakan, chinchilla, loutre, vison, hermine et zibeline, la fourrure connaît à la fin du siècle, en partie pour des raisons économiques, une vogue toute nouvelle.

C'est de cette femme dangereuse, mystérieuse, femme-tigre, femme-serpent, fauve, bestiale, féroce, inepte et vénale (ce sont ses propres mots) que Charles Cros chante l'allure de guerrière :

> Le casque de velours, qui de plumes s'égaie
> Rabat sur les sourcils les boucles, frondaison
> D'or frisé...

et la poitrine (aussi dure que le cœur!) :

> La dame aux yeux de panthère
> Au corsage orné de géodes...

et il célèbre son éventail, et son épingle à cheveux, utile pour crever les yeux.

"Sa Majesté, la Femme 1900".
Blaise Cendrars.

Une autre femme est née avec la seconde moitié du XIXe siècle : la Parisienne. Sans doute était-elle déjà chez Balzac, grisette ou duchesse, s'opposant à la provinciale. Chez les Goncourt, vieux Parisiens, la Parisienne, noble ou grande bourgeoise, tient son charme d'une simplicité de bon aloi, sait s'habiller pour la rue aussi bien que pour le salon, fidèle à la robe discrète, neutre mais bien coupée; tout le luxe réfugié dans la trinité que Mallarmé enseigne aussi à ses lectrices, le chapeau, le gant, la chaussure. Les Goncourt déplorent la dispariton de cette Parisienne, remplacée par celle du Second Empire, tapageuse, qui peut aussi bien être une étrangère : libérée des attaches provinciales que possède toute Française, elle n'en sera que plus facilement Parisienne à part entière. Sous le Second Empire, c'est la princesse de Metternich qui lance les modes et les couturiers; en 1874, Mallarmé décrit la robe de Mme Ratazzi, demi-anglaise, devenue Italienne par son mariage, comme celle de "la Parisienne par excellence". Dans sa chronique du *Gil Blas* (29 octobre 1881), Maupassant, ayant lu dans une revue anglaise en mal de *scoop* que "la Française n'est plus", réplique que du moins la Parisienne existe, "pas belle, quelquefois à peine jolie, mais une saveur, un charme!" La Parisienne est pour Montesquiou une "forme de l'éternel féminin"; "très fine et Parisienne sinon Française", dit Toulet d'une de ses héroïnes. Et la poupée-mannequin, poupée-mode, poupée-femme qu'invente Jumeau en 1885 s'appelle aussi *poupée parisienne.* A cette Parisienne, l'Exposition universelle de 1900 donne la vedette en érigeant sa silhouette géante à l'entrée du parc. L'opposition Parisienne-Française se lit encore, mais retournée, dans une phrase revancharde qu'Aragon, dans *les Beaux quartiers,* prête à l'un de ses personnages de 1912 : "La Parisienne redevient la Française".

Selon les romanciers du temps, l'élégante Parisienne n'est intelligemment admirée que par d'autres artistes. C'est le peintre mondain Olivier Bertin dans *Fort comme la mort* de Maupassant, le sculpteur Dechartre dans *le Lys rouge* d'Anatole France, qui comprennent respectivement l'élégance de la comtesse de Guilleroy et de la comtesse Martin. Dans la réalité, la Parisienne trouve ses peintres en Bonnat et Hébert, Boldini et Helleu, dit "le Watteau à vapeur", Gerveix, La Gandara qui, de ses portraits de grandes mondaines, fait tirer des lithographies à une douzaine d'exemplaires pour de riches amateurs comme le mondain professeur Pozzi. Le peintre belge Stevens fait habiller des poupées par les grands couturiers, pour se constituer un petit musée personnel de l'histoire du costume. De lui Montesquiou dit avec éloge qu'il fait "des portraits de robes", comme Mme Verdurin dit d'Elstir qu'il fait "le portrait d'un sourire". Il faudrait encore citer Besnard, ami de Montesquiou, Clairin, Chaplin, Madrazzo, Chantreau, Carolus Durand, Béraud, Maxime Dethomas dont un personnage de Jean de Tinan possède le *tableau d'une jupe*.

Ces peintres mondains représentent souvent la femme en robe de soirée, chez elle; c'est aux romanciers qu'il revient de montrer le caractère voluptueux de la mode : ce voile noué sur la nuque et qui requiert, pour s'en délivrer, une main amie; ces bottines qui suggèrent, pour être délacées, l'agenouillement; ce manchon où se cache un bouquet de violettes moins discrètes que ne le veut leur réputation; ce boa qui semble le complice d'une Ève tentée et tentatrice; ces gants dont le long boutonnage ménage un petit coin de peau à baiser; cet éventail de plumes parfumées; cette ombrelle de dentelle, volage auréole.

"Vous ne regardez les robes que dans l'intimité?
— Et à l'envers, Nane, comme les feuilles".

Paul-Jean Toulet.

"Et toi, hors de ton linge, lys effeuillé..."

P.-J. Toulet.

Un intimisme rien moins qu'innocent, dans la peinture comme dans la littérature, révèle volontiers les dessous auxquels s'intéressent Willy et ses collaborateurs; et dont se vident généreusement les tiroirs parfumés dans *le Journal d'une femme de chambre* de Mirbeau. C'est le beau temps de *la Vie parisienne,* à laquelle collaborent de nombreux écrivains, dont Gyp et Toulet. Charles Cros, Anatole France, Jean de Tinan, Paul-Jean Toulet célèbrent les bas que la mode veut alors de toutes les couleurs, les jupons et les corsets *Perséphone, Tanagra,* ou cet *Hygie* que Willy, selon Tinan, déclare réclame payée, le plus *rationnel.* Ces dessous s'exhibent et s'abandonnent dans la garçonnière, décor obligé du roman de l'avant-siècle et de ce qu'on appelle la Belle Époque; les deux autres décors nouveaux, ce sont le salon d'essayage de la maison de couture ou du grand magasin, où le monsieur de la Belle Époque accompagne sa femme ou sa maîtresse, et le cabinet de toilette, cette pièce où les peintres et graveurs du XVIIIe siècle présentaient si souvent la coquette, en déshabillé galant, recevant, écrivant un mot de lettre, mais dont la pudeur louis-philipparde, héritière de la haine anglaise pour l'*improprer,* avait refermé la porte à double tour.

Il faut le regain d'un dandysme masculin et féminin — et sans doute les progrès du sanitaire! — pour que le cabinet de toilette redevienne une pièce à part entière; le prince Constantin Radziwill reçoit dans le sien, comme au salon, sa voisine de Mortefontaine, Élisabeth de Gramont, qui le raconte dans une lettre à Proust. En un temps où *la Toilette* fait figure de sujet privilégié, aussi bien chez les peintres officiels comme Gerveix que chez Degas, Renoir ou Bonnard, le cabinet de toilette devient aussi une pièce quasi obligée du roman fin de siècle. Eugène Sue, l'un des premiers, avait doté sont héroïne du *Juif errant* (1844) d'une *chambre de toilette,* véritable temple rond de la beauté, et qu'il décrit, comme toujours, avec une conscience de tapissier. Michelle de Burne, l'héroïne de *Notre cœur,* reçoit aussi de Maupassant une salle de bains tapissée de glaces, meublée comme un salon, et où elle passe le plus clair de son temps à préparer et à contempler avec narcissisme sa beauté. Après la Circé de Maupassant, la Sapho de Rachilde a droit aussi à un cabinet de toilette très sophistiqué, comme celui de la comtesse d'Orthyse chez Jean Lorrain, qui emprunte au Japon ses grenouilles de bronze vert.

Les messieurs ne sont pas moins gâtés. Le dandy Monpavon du *Nabab* (1877) était déjà fort bien installé. Chez Des Esseintes, un ancien baptistère fait office de cuvette, et une bibliothèque vitrée contient un jeu de chaussettes de soie disposées en éventail. Ce meuble se retrouve dans le cabinet de toilette de Montesquiou, qui en a fourni le modèle. Le mémoraliste des *Pas effacés* évoque ses armoires anciennes sculptées et vitrées dans lesquelles s'exposaient des gilets fastueux, cependant que des vitrines plus petites contenaient "des chaussettes et des cravates rangées comme des elzévirs dans une bibliothèque de luxe". Dans ce lieu raffiné, les robinets de la baignoire achetés à l'Exposition de 1878 ont la forme d'éléphants crachant l'eau par leur trompe. Un roman étranger, mais presque français, car il fut immédiatement traduit, fournit un concentré des raffinements tapissiers et couturiers de la fin du siècle, c'est l'*Il piacere* de d'Annunzio (*L'Enfant de volupté*).

Dans les dernières années du siècle, sous l'influence du sport, la mode préfère à la féminine baignoire le tub viril auquel se convertissent même les demi-vierges de Marcel Prévost. Le tub a droit à un éloge de la part de Jean de Tinan, ainsi que la serviette-éponge "qui frotte nos neurasthénies de l'illusion que nous sommes très forts". Lieu idéal pour l'écrivain en mal de phrases "rythmées, claires et gaies semblables aux perles brillantes de l'eau limpide dont le ruissellement chante". Vallonges, personnage en qui Tinan a mis beaucoup de lui-même, a coutume, pendant qu'il s'habille, "d'intercaler de petits airs de chaise-longue entre les diverses pièces de son costume" et il confie que c'est généralement en chaussettes, caleçon et gilet (assortis bien entendu) qu'il fait ses plus jolies trouvailles littéraires. Le temps est loin où Buffon ne s'asseyait à sa table de travail qu'après avoir choisi ses plus belles manchettes de dentelle, par respect pour le noble métier d'écrire, ou, peut-être, pour assurer par la magie du mimétisme l'élégance et la noblesse de son style. Mais qu'il s'agisse de Buffon ou de notre romancier fin de siècle, c'est toujours unir en un même souci les chiffons et les lettres. Le Léautaud du *Petit ami* (1903) se dira aussi plus inspiré pour écrire dans une chambre d'où la vue plonge sur un cabinet de toilette de fille que dans "les célèbres cabinets de travail, académiques et laids".

Nos trois décennies sont l'âge d'or de la description couturière. Elle continue à broder sur le thème des trois beautés, la blonde, la brune et la châtain, et sur le bouquet que composent leurs toilettes forcément très différentes, thème que l'on rencontre de Balzac à Cocteau en passant par Gautier, Villiers de l'Isle-Adam et Bourget. Elle continue à emprunter poétiquement ses comparaisons à la fleur et à l'oiseau. Montesquiou voit dans une jupe comme de géants pétales d'althéa retombants dont les fleurs brodées, brochées, chinées ou peintes courent sur les réseaux de la crinoline comme des pariétaires sur un treillage. Courteline animera le printemps parisien de jolies dames ingénument adultères, coiffées de coquelicots et de bleuets. Les robes des héroïnes parisiennes de Maupassant ne sont que fleurs et plumes.

Chez Bourget la description se fait d'une grande minutie. Il parle de la "conscience de tapissier qui caractérise le romancier moderne"; lui a une conscience de couturier. Devançant les ouvrages d'Octave Uzanne, sur les accessoires féminins, il se lance dans des inventaires de bagages, et décrit jusqu'au porte-plume en or, pourvu d'une perle blanche à l'extrémité, dont se sert une de ses héroïnes : Edmond de Goncourt, pourtant si *bibelotier,* s'en moque comme d'une sottise de nouveau riche. Bourget aime habiller ses héroïnes minces et sinueuses de ce qui lui paraît du meilleur goût : tailleur sombre que vient d'inventer Redfern en 1885, robes neutres qu'éclairent des perles et que réchauffent de souples fourrures. Il retrouve la couleur avec ses belles Italiennes de *Cosmopolis.*

Mais ce qui caractérise l'époque, c'est le regard moqueur, quelquefois le parti-pris caricatural : femmes littéraires à bijoux géants, dames à salons littéraires flirtant avec l'Institut et, en conséquence, brodées de verts lauriers et coiffées d'un chapeau à caducée; *ancestrales* de la Côte d'Azur étouffant sous leur zibeline, cocottes du Pavillon d'Armenonville ou de la Foire à Neu-Neu; Anglaises retour de Florence en tea-gown, chez Lorrain; et chez Toulet, millionnaires de Minnéapolis en lamé or, et rastaquouères en pyjama, cette invention des Messageries maritimes.

"Jolie chair et jolie vie, jolie élégance et sensibilité jolie".

Jean de Tinan.

Nouvelle, la description-madrigal. Le ton se fait léger pour s'adresser à la légère amie du moment, charmante "sous le linge", comme dit Toulet qui reprend une expression de Gautier : "déjà vous voilà ensevelie sous le linge, armée d'un corset, de jarretelles, de bottines très hautes, comme en portèrent sous leurs crinolines (Ah! dites-vous, Constantin Guys) les dames de Compiègne autrefois" (*Mon amie Nane*). Chez Tinan, le madrigal joue la nostalgie à fleur de peau : "Vous portiez une de ces robes de mousseline où s'enveloppent si bien les rêves un peu tristes et de longtemps caressés"; ou la précision maniaque : "Tu étais tout en chinchilla, avec une jupe de velours gris foncé, garnie de deux bandes de chinchilla, et puis une toque de velours gris à plumes grises bordée de chinchilla... et une ceinture de turquoises". Et il conclut : "Est-ce bien décrit, cette toilette-là?"

Toute une époque semble en effet s'être formée à l'art de la description couturière en faisant de la chronique de mode; ce qui est une excellente école pour le romancier, assure Rachilde, qui dit avoir commencé sa carrière de femme de lettres à dix-neuf ans dans un journal, vers 1878, par la réclame pour les couturières. Jusqu'aux abords de 1880, quand les écrivains donnaient des textes aux journaux de mode, c'étaient des poèmes et des nouvelles. Mais les vieilles chroniqueuses aristocrates, comme *Domino rose* et *Patte-blanche* de *Bel-Ami,* sont en train de céder la place à des écrivains hommes, Uzanne (sous le pseudonyme d'*Étincelle*), Lorrain, Tinan; Montesquiou, dans *les Modes,* décrit le coffret de Mme Lemaire, le dernier bal masqué turc, les robes d'un vernissage de Bakst, ou une messe à la Madeleine où sa cousine Greffhule a quêté, en robe sombre comme il se doit, mais avec un petit dépassant de couleur tendre "qui a fait beaucoup d'honneur au Bon Dieu".

"Mme Bergeret n'avait pas l'entente du nu et ne comprenait que la beauté couturière."

Anatole France.

Anatole France s'amuse aussi, faisant entrer en littérature le mannequin d'osier domestique, distinguant toutes les manières de répondre aux sollicitations de la mode : celle, charmante, de Mme de Gromance, ingénue libertine en des toilettes mousseuses ou sous le linge, celle de Mme Worms-Clavelin qui n'a pas assez, selon sa fille, "le goût du linge", et fait ses visites, comme elle le dit, avec un chapeau "de corbillard", Mme de Bonmont cuirassée comme une Walkyrie. Déboulonnant les idées reçues, il fait soutenir à un érudit local que l'imaginaire type aristocratique se fonde sur la beauté des mannequins, souvent sortis du peuple. Il invente dans *l'Île des Pingouins* le mythe fondateur du chiffon et de la mode, qui parleront mieux à l'imagination que le nu. Il définit au moment où elle disparaît la magie de la tournure, qui "rend le c... essentiel", et, envisageant le chiffon de A jusqu'à Z, il prophétise, dans *Sur la pierre blanche,* l'uniforme "unisex" des Parisiens androgynes du XXIIIe siècle. Enfin, comme tous les philosophes du vêtement, il le croit utile pour cacher sa pensée — et d'abord pour en avoir une.

Les femmes-écrivains, quand elles parlent mode, ne s'amusent pas. A travers leurs héroïnes, faites à leur image, elles brandissent le drapeau de la révolte : Rachilde dit de Raoule de Vénérande (*Monsieur Vénus,* 1880) qu'en d'autres temps, elle aurait porté le pourpoint des mignons d'Henri III. En 1880, Raoule, femme-sphinx, femme experte aux déguisements qui traduisent sa double nature, choisit tantôt l'habit masculin, tantôt le fourreau de drap noir à queue tortueuse. Bonnat l'a peinte en costume de chasse Louis XV, et Grévin la déguise pour un bal en nymphe des eaux, tunique de cachemire blanc pailleté de vert, émergeant de sagittaires et de nymphéas. Six ans plus tard, elle a une discipline dans l'héroïne d'un roman au titre parlant, *Une décadente,* écrit par une romancière qui se cache sous le pseudonyme masculin de Georges de Peyrebrune. Notre décadente ne rejette rien de tout ce que propose en fait de modes cette fin de siècle : toilettes esthétiques à l'anglaise, vêtements violemment colorés et dévergondages de blancheurs, robe de moire emperlée comme une étoffe byzantine, qui fait d'elle une hiératique Théodora; enfin (retour à l'Angleterre, mais celle de Redfern) tailleur noir, ouvert sur un gilet également noir, cravate de dentelle, boutonnière fleurie, étui à cigarettes. Son portraitiste? Celui qui "a introduit le japonisme en peinture", Manet probablement.

Quant à Sybille de Mirabeau, comtesse de Martel, dite Gyp, elle reste fidèle à ses souvenirs d'une jeunesse aristocratique, et sa petite révolte est bien sage. Elle crée la gracieuse et insolente Chiffon, en révolte contre les hypocrisies et les entraves de son milieu; elle refuse la silhouette étranglée à la mode en 1894 (*Le Mariage de Chiffon*). Elle déclare qu'"une grosse poitrine et de grosses hanches avec une taille fine, c'est horrible... ça à l'air d'un oreiller noué par le milieu"; et elle porte une sorte de blouse russe, jusqu'à ce que son oncle par alliance, dont elle fera son mari, la conduise chez la grande couturière de l'endroit. Celle-ci l'habille d'une robe rose, et néanmoins neigeuse, qui coule droit le long de son petit corps élégant, faisant d'elle "une petite fée, un être bizarre et idéal", tout prêt à entrer dans une bibliothèque également rose.

Chez les passionnés de la toilette que sont les écrivains fin de siècle et 1900, on devine qu'abonde la métaphore couturière. Non sans préciosité, Montesquiou trouve aux tissus, selon leur plus ou moins de légèreté, des correpondances dans le rythme du vers antique, *dactyles* de mousseline et *spondées* de cachemire. Son goût du chiffon et de l'artifice transforme un jardin printanier en un atelier de modiste :

> ... le chapeau des arbustes
> Qu'on les croirait coiffés par Mme Reboux,

ou de couturier :

> De Doucet, le suave, ou de Worth le subtil.

Tant le poète y voit *d'ajustements,* de *ruches de lilas,* de *volants de glycine,* de *muguet-perle* et d'*aubépine* qui sont "comme le point à l'aiguille des fleurs".

Tout peut devenir chiffon. Les disciples de l'idéaliste Schopenhauer rejoignent ceux de l'idéaliste Carlyle, pour qui tout ce qui enferme l'âme ou l'idée était représenté par les vêtements que sont le corps, le nom, les titres, les institutions; et la société toute entière est une foire aux chiffons. Aux yeux de Péladan, peu féministe, la philosophie, la culture, l'intelligence, ne sont chez une femme que vêtements dont elle se pare par amour; et une jeune personne qu'épouvante une soudaine liberté est "semblable à une donzelle en possession d'un merveilleux brocart et qui n'ose y découper une vêture". Tinan se trouve lâche à l'idée de réveiller une ancienne douleur pour "l'habiller d'une robe neuve". Cynique, il avoue à une femme qu'elle est devenue pour lui "le mannequin commode où plisser ses petites étoffes idéologiques, érotiques et tendres". Galant, il tourne pour une autre ce madrigal calicot : "Vous faire la cour! Joli travail, soigné et tout soie, bien fait et du meilleur goût"; et, désenchanté, il décide que "rêver à une femme idéale est aussi peu efficace que de rêver qu'on a de quoi payer son tailleur". Chez Maupassant, l'image prend carrément un tour égrillard, qui parle de "sous-entendus adroits, de voiles levés par les mots, comme on lève des jupes".

Remy de Gourmont est sans doute le champion de la métaphore vestimentaire. Transporter sur un double féminin son égoïsme et vivre ainsi par procuration se dit "se vêtir d'amour". Il voudrait, pour ne laisser parler que son cœur, avoir la force de rejeter son intelligence "comme un manteau". Pour son héros, Hubert d'Entraigues (*Sixtine*) l'indifférence d'une femme "se brode d'ironie"; les cervelles ne sont différentes que "comme l'endroit et l'envers d'une indéchirable étoffe brodée d'une inusable broderie". Le retour au naturel chez une femme sophistiquée, c'est un fil de perles qui se casse et qu'il faut renfiler. En veine d'allégories, il voit l'Imagination parer la Sincérité de brocatelles et de rubis, lui poser un diadème. Mais sous le royal manteau comme sous les haillons, c'est toujours le même corps de femme. Il regrette enfin que l'art, en évoquant la vie, ne puisse "refaire ni la trame ni la chaîne, pour varier la broderie de l'étoffe, parce qu'il brode à l'abri des contingences", mais à cette vie il trouve "ainsi qu'à une vieille dentelle le charme de l'inutilité".

"Une vraie toilette vaut un poème".

Taine.

"Écrire, n'est-ce pas un peu farder à sa manière les mots de tout le monde?"

Léautaud.

A la fin du siècle, la métaphore couturière affirme surtout le rapport du livre à la robe. Le premier, Mallarmé qui a voulu faire du livre le bel objet total que l'on sait : à l'intérieur, sur de précieux Hollande ou Japon, les élégances typographiques inventées par les Aldes et les Elzévirs, ou les Enschedé, tous les jeux de corps que proposent les cassetins et la fantaisie calligraphique. Quant au couturier du livre, il se nomme Capé, Lortic, Chambolle ou Trautz-Bauzonnet, dont Des Esseintes évoque les reliures de soie antique doublées de tabis et de moire, ornées de coins et de fermoirs équivalents de la broche "qui ferme la mondaine", comme dit l'auteur de *la Dernière mode,* à moins qu'on ne leur préfère les deux cordons de soie, l'un rose, l'autre noir, qui ferment, comme un corsage, la plaquette de *l'Après-midi d'un faune,* habillée de feutre blanc du Japon, exemplaire rare que possède Des Esseintes, et qu'on peut admirer à la bibliothèque Jacques-Doucet.

Pour Mallarmé, tout dans le livre, caractères, forme, structure, esprit, trouve son analogie dans l'art du tissage, du bijou, ou du fard. A propos de son ami Villiers de l'Isle-Adam, il parle de "l'étoffe de somptueux pensers", et voit dans la feuille de papier qu'il tient à la main le blanc ornement qui tient lieu de la cravate, de la pochette ou du gant immaculés dont s'eclaire généralement un habit sombre. Ailleurs il sent le livre se faire "comme une broderie". Annonçant à ses lectrices que leur journal sera désormais imprimé en caractère elzéviriens, Mallarmé se réjouit que ces derniers soient revenus à la mode "comme la guipure et les bijoux anciens". "Mousseline de l'Inde", cette affabulation orientale sous laquelle se cachent les abstractions morales ou politiques dans le conte du XVIIIe siècle. Quant au feuilleton, rez-de-chaussée du journal, c'est "le fragile magasin éblouissant, glaces à scintillations de bijoux, ou par la nuance de tissus baignées" sur lequel pose et pèse le haut et lourd immeuble... Tel poème décadent lui paraît avoir, comme une vieille coquette, "des plaques de fard". L'édition Lemerre de Chénier, où l'inachevé se mêle à l'achevé, lui rappelle ce bracelet à la mode en 1874 où l'on marie aux pierres précieuses, sur une monture du XIXe siècle, des médailles et des camées antiques. Il a senti sa *Dernière mode* se faire par le tissage de l'exceptionnel (les fêtes) et du quotidien (la saison) "comme deux fils, l'un de soie ou même de laine et l'autre d'or, s'interrompant et se rattachant entre eux, mêlés dans leur destin annuel". Ouvrage de dame aussi, notre langue, qui, "loin de livrer au hasard sa formation, est composée à l'égal d'un merveilleux ouvrage de broderie ou de dentelle". La hantise du livre fait s'inverser une fois la comparaison : Mallarmé voit le manteau de son ami Villiers s'ouvrir "avec la brusquerie d'un livre", et Villiers devenir folio!

Mallarmé ne fait que suivre le génie de la langue, qui parle de *texte* et de *textile,* de la *texture* d'un tissu et du *texte* d'un discours, de la *trame* d'un tissu et de celle d'un roman, du *fil* conducteur du tissage et de celui du récit, sans oublier l'argumentation qu'on *étoffe,* ce qui n'empêchera peut-être pas le discours d'être un *tissu* de sottises! Est-il besoin d'appeler à la rescousse, pour tisser ces rapprochements, le Rig-Véda, pour lequel l'univers est une vaste étoffe tissée par la Nuit et l'Aurore à partir des fils fournis par le Soleil? Et les Dogons, chez qui la poulie du métier à tisser porte le nom de *grincement de parole,* et dont les ancêtres sont censés communiquer leurs révélations à travers les techniques du tissage? Plus près de nous, Saussure n'a-t-il pas l'intuition d'un nom de dieu caché dans le tissu du poème ancien?

Pour Gourmont, ou du moins pour son héros d'Entraigues, tout se fait aussi broderie ou vêtement : la reliure évidemment; la traduction dans une langue étrangère; la forme élégante dont s'enveloppe parfois un ouvrage vide, "squelette corporel". Gourmont est, après Mallarmé, le champion de cette sorte de métaphore. Mais il faudrait citer tous les écrivains de ces trois décennies : Daudet, pour qui le livre de poèmes est comme une toilette de bal; Prévost, chez lequel un personnage de séducteur se juge comme "un mauvais livre relié en drap et en batiste par Wasse et Charvet", et que toutes les femmes veulent avoir lu. Pour Toulet, le mot a toujours "trois robes" ou degrés de signification, ce qui fait songer aux trois jupes qu'exigeait la mode du XVIIIe siècle, et qui n'iraient pas si mal à Nane, *la secrète, la modeste, la friponne.* Et Valéry Larbaud, éditeur de textes anciens "frais comme des filles de quinze ans", se félicite de les avoir "tout de neuf habillés, avec de beaux caractères sur du papier bien net et blanc, en modernisant l'orthographe et sans apparat critique". Enfin la hiérarchie des ouvrages trouve sa parfaite correspondance dans la hiérarchie couturière : l'exemplaire rare pour bibliophiles, illustré, sur beau papier et bien relié, c'est la robe haute couture, à côté des gros tirages qui font penser à la confection.

Si l'écrivain de ce temps sent ainsi son livre se faire comme une broderie, un tissage ou un vêtement, c'est qu'il a pu voir, petit garçon, les femmes de la maison, sa mère, la femme de chambre, la couturière "en journée", occupées de travaux d'aiguille. Il a pu suivre les étapes du long travail : patron à tailler, à épingler sur le tissu, coupe, crantage, surfilage, assemblage, essayage etc. jusqu'au jour où enfin la robe se porte, comme un livre enfin se publie, au terme d'une véritable aventure qui aurait pu rater et qui ne va pas sans inquiétude et mainte remise à plat et correction. Livre-robe, livre-habit : quel auteur, aujourd'hui encore, du moins s'il est femme, en bâtissant son manuscrit, en épinglant ses feuillets avant de s'asseoir devant sa machine, ne s'est senti un peu couturière, ou n'a eu l'impression, en agrafant une épigraphe à la tête d'un chapitre, de piquer au revers de son tailleur une broche ou une fleur?

9

Proust et le muet langage des robes

"Tout ce qui est beau et tout ce qui est bon n'est-il pas éphémère?"

Proust.

L'image de l'élégant que fut Proust s'inscrit dans son œuvre en mainte toilette élaborée; et Jean Santeuil porte le veston de cheviote vert et la cravate de légère indienne, imitant les ocellures du paon, avec lesquels lui-même a posé pour Jacques-Émile Blanche. C'est le mondain élégant qui, se faisant chroniqueur, écrit sa première description de toilette féminine en rendant compte, dans *le Gaulois* du 30 mai 1894, de la *Fête littéraire* donnée par Robert de Montesquiou dans son pavillon versaillais. Proust a visiblement noté sur son programme des indications précises sur les toilettes. C'était bien la peine! On lui a mutilé son texte, et il s'en plaint. Ont disparu de la collection les robes de Mmes Potocka et Brantès; celle de Sarah Bernhardt se réduit à des "banalités vagues", soie argentée et guipure de Venise; et, trahison! les pervenches de Mlle Bartet sont devenues des bleuets! Restent tout de même quinze descriptions de robes qui paraissent sortir de chez le fleuriste plutôt que de chez le couturier, et où, dans la couleur d'une robe ou la garniture d'un chapeau, violettes, iris et mimosa le disputent à la rose, à l'héliotrope, à l'orchidée, et aux hortensias chers à l'organisateur de cette exposition florale. Mauve ouverture à *la Recherche du temps perdu* : la comtesse Greffulhe est là "délicieusement habillée : la robe est de soie lilas rosée, semée d'orchidées, et recouverte de mousseline de soie de même nuance, le chapeau fleuri d'orchidées et tout entouré de gaze lilas". Il est amusant de comparer à cette sobre description celle que donne de la même toilette Robert de Montesquiou lui-même dans *les Pas effacés;* on y reconnaît la manière du mémoraliste : référence picturale, évocation du bal costumé, rosserie à l'égard de la chère cousine. Mais ladite orchidée y porte son nom, désormais proustien :

> Mme Greffulhe aurait pu figurer dans une illustration des *Fleurs animées* de Granville, elle était déguisée en catleya, toute couverte du ton de cette mauve orchidée d'une teinte peu seyante, mais qu'elle aimait; pour tourner la difficulté, elle avait enveloppé son visage d'un voile du même ton, au travers duquel ses yeux brillaient doucement, comme deux lucioles noires.

Proust transposera dans *la Recherche* cette rapidité du chroniqueur de mode :

> Elle était habillée, sous sa mantille, d'un flot de velours noir qui, par un rattrapé oblique, découvrait en un large triangle le bas d'une jupe de faille et laissait voir un empiècement également de faille blanche, à l'ouverture du corsage décolleté, où étaient enfoncées d'autres fleurs de catleyas.

Proust a aussi l'intérêt du chroniqueur pour les inventions de la mode au jour le jour; il est, avec Colette, le premier à introduire dans le roman autant de vêtement nouveaux, et les mots pour les dire, que rendent nécessaires les sports nouveaux : bicyclette, voile, golf, tennis, bains de mer, conduite automobile. Peut-être est-il le premier écrivain à utiliser ce mot à l'étymologie malodorante, le *sweater,* pour faire dire d'ailleurs à Mme Swann qu'elle le laisse à d'autres; et le dédaigneux M. de Charlus n'utilise le mot *espadrilles* qu'en italique, comme une incongruité. Mais voici reconnus les *knickerbockers;* et le *polo* et le *caoutchouc* d'Albertine; et, déjà tombé dans le domaine public, pour la mode comme pour la langue, le *golf* de la petite crémière blonde.

Proust aime le vocabulaire technique de la mode : effilés, ruches, dépassants; il connaît les tissus, la fourrure et la plume, fût-elle de grèbe ou de lophophore. Il s'enchante de ces dénominations évoquant les peintres : *chapeau Rembrand, peignoir Watteau, manteau à la Tiépolo;* il sait qu'un frac se dit *queue de morue* et que le *smoking* est ignoré des Anglais; il préfère à la géométrie du *tube* le chatoiement du *huit-reflets.* Avec les Goncourt, qu'il a pastichés avec esprit, il partage le goût de l'objet rare, qu'on a envie de découvrir quelque jour chez l'antiquaire, comme cette ombrelle dont le pommeau contient une petite montre.

Proust s'est intéressé au monde de la couture : le Narrateur ne se contente pas de rêver aux jolies ouvrières de la rue de la Paix, représentées sortant de chez Paquin sur un tableau de son ami Jean Béraud, et qu'il pourrait aller attendre à la sortie de leur atelier. Il connaît le *cursus* de la profession. La nièce de Jupien, petite main, s'est installée à son compte avec deux apprenties, elle va l'été à la campagne habiller ses clientes qui, en retour, l'invitent à déjeuner à Paris. Et Proust de prédire qu'il n'y a pas de raison pour que la modiste ou le couturier ne soient pas un jour reçus dans le grand monde. Sans attendre que l'entre-deux-guerres réalise sa prophétie, il assure la promotion de ladite nièce en lui faisant faire un mariage aristocratique. Quant au *couturier,* son nom revient souvent sous la plume du romancier pour dire le flair de l'homme de métier qui, dans un salon, va tout de suite à ce qui l'intéresse, en l'espèce le tissu à palper; et Proust, qui a pris à Balzac ce jeu des métiers et des analogies, le compare au peintre, à l'homosexuel et à l'odontologue! Elstir, lui, bizarrement, voit dans les gestes du couturier quelque chose d'aussi beau que ceux du jockey. Chez Proust, le couturier trouve dans le grand seigneur quelqu'un qui apprécie assez son art pour l'imiter : M. de Charlus invente en effet (avec, je le soupçonne, l'aide de Barbey d'Aurevilly) le pardessus de vigogne à raies orangées et bleues. L'apothéose du couturier se lit dans un article assez choquant, cité par Proust dans la *Recherche,* et qui, au plus sombre de la guerre, célèbre ce promoteur qu'appellent les temps nouveaux.

> *"Redfern fecit? — Non, vous savez que je suis une fervente de Raudnitz".*
>
> Proust, *A l'ombre des jeunes filles en fleurs.*

Deux vagues de couturiers dans la *Recherche :* les anciens, Redfern, Raudnitz, qui habille Mme Swann, et Worth (facilement identifiable sous l'initiale W.) qui habille Mme de Villeparisis; les nouveaux, cités par Elstir : Doucet, dont Albertine convoite certain peignoir à manches doublées de rose, Paquin (avec des réserves), les sœurs Callot (encore qu'elles "donnent un peu trop dans la dentelle") et Chéruit; les trois anciens sont encore cités par la duchesse de Guermantes quelques années plus tard. Quant au nom du grand créateur de tissus, Mariano Fortuny, il court tout au long de *la Prisonnière,* puis de *la Fugitive,* car ses somptueux peignoirs adoucissent la captivité d'Albertine, et consolent son geôlier de ne pouvoir aller à Venise. Enfin la griffe de Poiret se devine dans la robe Directoire en soie nacarat estompée de fleurs que porte, à la dernière réception du prince de Guermantes, une jeune femme anonyme et allanguie.

A ces bonnes adresses il faudrait ajouter Boucheron, qui fournit le collier de Rachel, Cartier, qui a droit à une allusion, Charvet le chemisier, Délion le chapelier, qui fabrique tout spécialement pour cinq ou six rares heureux du Jockey le tube doublé de vert dont Swann dit coquettement que "c'est plus pratique".

Toutes les sortes de clients se sont aussi donné rendez-vous dans la *Recherche* : provinciales qui lisent les chroniques du *Gaulois* et achètent sur catalogue; Parisiens timides à qui le vendeur d'*Old England* affirme que "c'est le grand chic", et qui n'osent consulter un goût personnel; clients des grands magasins : Albertine va au Bon Marché se procurer la guimpe qui égaiera sa robe noire; la mère du Narrateur rencontre aux Trois-Quartiers Swann en train de faire l'emplette d'un parapluie. Proust a dit toutes les facettes de la mode, et l'énorme place qu'elle occupe dans la vie des deux sexes, fournissant des sujets de conversation, des alibis sous le nom d'essayages, et une consolation aux malheurs de la vie. La puissance de la mode s'affirme victorieuse lorsqu'à la fin de la *Recherche* ses plus farouches opposants, Legrandin et Verdurin, adoptent enfin le smoking.

Cocteau a proféré, dans *le Passé défini,* un jugement sévère sur le goût de Proust en fait de robes, et il cite le Narrateur lui-même qui dit n'avoir d'abord rien vu en Mme Elstir d'une élégance qui est toute de simplicité, de proportion et de nuance. C'est que justement *la Recherche du temps perdu* est aussi recherche de ce qu'est l'élégance, roman d'un goût qui se forme. L'élégance ne cesse d'y être jugée, expliquée, enseignée, et par tous les personnages. Il n'est pas jusqu'à Brichot le professeur qui, ignorant la malédiction portée par le *Traité de la vie élégante* contre les professeurs d'humanités, n'enseigne à ses collègues de l'Institut l'usage du haut de forme, et qu'à la campagne on peut porter le chapeau mou avec le smoking. Le Narrateur fait sa propre éducation avec Albertine, qui lui explique l'élégance selon Elstir; il l'accompagne chez les couturiers, et pour elle il interroge la duchesse de Guermantes sur les bonnes adresses. Mais déjà l'auteur de *les Plaisirs et les jours* avait découvert dans les portraits de Van Dyck que la vraie élégance réside moins dans le vêtement que dans le corps, et moins dans le corps que dans l'âme, — que l'élégance est *morale.* Il découvre aussi qu'elle est un art, et qui peut se suffire à lui-même, la perfection d'une robe égalant, dit-il celle d'un orchestre par exemple. Les jeunes gens de Balbec, prodigieusement incultes en musique et littérature, possèdent cet art. Une élite avertie se recrute, non seulement dans l'aristocratie, mais aussi dans une grande bourgeoisie où l'argent s'est assez spiritualisé pour se muer en belles choses. Point n'est besoin pour ces gens bien doués d'emprunter aux prestiges de la conversation (''partie morale de la toilette'', comme dit Balzac), pour assurer le succès d'une robe, comme fait la future duchesse de Guermantes, qui n'est pas encore riche. Plus tard, tout le monde lui reconnaîtra cet art de s'habiller; il brille aussi en Mme Swann, les beaux détails invisibles de sa toilette étant comparés par le Narrateur à ceux de l'art gothique. Dans cette reconnaissance de la toilette comme art, Proust suit le mouvement du siècle, et en particulier les élégantes des années 1890, qui parlaient de la *philosophie* d'une robe, et refusaient le mot *chic* au profit de celui d'*élégance*.

Cet art s'apprend : les trois grandes élégantes de la *Recherche,* Mme de Guermantes, Mme Swann, Albertine, doivent en partie leur science à un maître unique, M. de Charlus, surnommé dans le monde *la Couturière.* Initié aux distinctions de Trévoux, il rappelle la différence entre *se vêtir* et *s'habiller;* personnellement d'une élégance un peu janséniste, qu'explique la continuelle dissimulation de certains goûts, il est passé maître dans les harmonies noir-blanc-gris, que relève parfois un filet vert, une tache rouge. A la soirée du prince de Guermantes, noir et blanc dans son frac, avec la seule tache rouge de l'ordre de Malte, le Narrateur le voit comme une *Harmonie en noir et blanc* de Whistler. Il a enseigné à Mme Swann les *harmonies en blanc majeur* qu'elle réalise chez elle entre ses robes et les fleurs de ses vases. Il a peint pour sa cousine Oriane un éventail aux lys jaunes et noirs. Il reconnaît dans la robe grise d'Albertine celle que portait, pour sa deuxième entrevue avec d'Arthez, la princesse de Cadignan.

L'autre maître d'élégance, c'est Elstir, qui choisit si bien les toilettes de sa femme. Il aide le Narrateur à se délivrer du préjugé contre le triste habit noir. Elstir est hostile aux trop splendides reconstitutions historiques d'un Fortuny. Il fait poser le Professeur Cottard, non dans sa toge rouge, mais en habit, pour donner tout son éclat au bouillonné de la chemise. On ne peut s'empêcher de penser au portrait du Professeur Adrien Proust, par Lecomte de Noüy, dans le style allemand de la fin du Moyen Age. Une plume d'oie à la main, un sablier à sa gauche, le grand médecin trône, enveloppé de plus de pourpre que n'en autorise l'Université : "le si beau portrait de papa par Lecomte du Noüy, qui faisait l'admiration de Jacques Blanche", écrit Proust à une vieille amie de sa famille. Mais les goûts des fils ne sont pas toujours ceux des écrivains qu'ils deviendront!

Le peintre Elstir contredit le premier maître du Narrateur, Swann l'esthète, qui retrouve dans une souillon *la Charité* de Giotto, et dans son cocher un doge. A la fin de la *Recherche,* le Narrateur prend une distance un peu moqueuse à l'égard de ces rapprochements érudits, quand, reconnaissant dans la robe d'Albertine le costume d'un personnage du *Patriarche di Grado* de l'Academia, il s'avise que cela n'a rien d'étonnant, car Fortuny s'est précisément inspiré du tableur de Carpaccio.

Comme chez Balzac, l'élégance rejoint, chez Proust, la psychologie. Odette, à cause de ses débuts tapageurs, en fait parfois un peu trop, s'habillant une ligne au-dessus de la criconstance. La duchesse a tendance à faire le contraire exprès. Sa sobriété un peu britannique, un peu *couturier,* la rapproche de l'artiste parfait dont la devise, ainsi que l'a dit Jean-Philippe Rameau, est de "cacher l'art par l'art même". Mais c'est aussi en elle l'orgueil artistocratique, s'alliant à la perversité mondaine, qui la pousse au reniement de son monde. Déjà, dans *les Plaisirs et les jours,* Proust enseignait que le comble de l'élégance est finalement d'être, comme la comtesse Violante, "assez élégante pour se passer, au besoin, d'élégance". La duchesse de

Guermantes soupire qu'au moins, après la mort, "on n'aura plus besoin de se décolleter". M. de Charlus fait l'éloge du démodé. Le culte de la mode se célèbre, chez ses plus fidèles fervents, à l'abri d'une continuelle abjuration.

"C'est le Temps qu'elle berçait dans cette nacelle où fleurissait le nom de Sainte-Euverte et le style Empire en soies de fuchsias rouges".

Proust, *le Temps retrouvé.*

Aux premières pages de *la Recherche,* le dormeur, remontant vertigineusement le temps depuis la nuit et la nudité des cavernes, ne réintègre son époque, au réveil, qu'en distinguant près de son lit ses chemises à col rabattu. Le premier Temps Retrouvé, c'est le temps social, et grâce au vêtement. En retraçant l'histoire d'un demi-siècle de mode et plus, la *Recherche* illustre le mot de Balzac : "la toilette est la plus forte expression de la société". Elle y ajoute même, en remarquant qu'une même mode, à une même époque, unit plus fortement que ne divise la distinction des castes.

La capote à brides et la traîne de la princesse Malthide, rencontrée au Bois vers 1892, nous font remonter au Second Empire. Entre 1873 et 1879, Odette suit la mode des élégantes buveuses d'eau de Bade, celle des lectrices de Mallarmé, qui divise la femme en compartiments, la transforme en une sorte de mannequin de sculpteur, dessine avec la pointe d'un corset un ventre imaginaire, emballe ses hanches dans des basques, l'alourdit enfin de sombres draps et de raides taffetas. La caricature de Proust restitue parfaitement cette mode peu flatteuse, qui n'empêche pas Odette de connaître sa première grande époque, très historiquement datée de 1879, l'année de la démission de Mac-Mahon et des inondations de Murcie. Le second sommet de sa carrière d'élégante se place vers 1892 lorsque, devenue Mme Swann, et libérée du corset long, elle laisse s'épanouir la ligne heureuse de son corps dans des robes de linon claires et légères, dans les crêpes de Chine pastel de ces peignoirs qui ont été longtemps sa tenue de travail. Vers la même époque, Rachel porte des tenues préraphaélites qu'elle nomme "visions d'art". Dix ans se passent : les petits chapeaux laissent la place aux grandes capelines; voici venu le temps des tuniques gréco-saxonnes, des chiffons Liberty "semés de fleurs comme un papier peint". Les nouvelles élégantes ont remplacé l'attelage par l'automobile; elles ne disent plus rien à l'imagination du Narrateur, qui en est resté à la mode de 1892. Ne lui disent rien non plus les turbans et les aigrettes importés par les Ballets russes, et qu'arborent dans leur loge la princesse Yourbeletieff et Mme Verdurin.

La guerre apporte la robe-tonneau, d'inspiration anglaise, et les hauts turbans cylindriques à la Mme Tallien, ainsi que le cothurne, enfermant la femme (comme fera l'Occupation) entre socle et chapiteau. Perles et tissus brillants trouvent des justifications pour paraître au milieu des deuils, et une nouvelle génération d'embusqués et de parvenus étale un luxe arrogant. Au lendemain de la guerre, *le Temps Retrouvé* sonne le glas de l'élégance et celui de la société mondaine. Sous le nom de princesse de Guermantes, porté naguère par une élégante romantique, se découvre une vieille fée, Mme Verdurin, dont Proust ne décrit jamais aucune toilette, sauf, une fois, un manteau de visite, parce qu'il l'isole. Les dames riches et nobles ne portent plus que des guenilles (Proust veut-il parler du misérabilisme de luxe que dénonçait Poiret parlant de Chanel?); et, pour ne pas alerter le percepteur, les maris n'achètent plus de diamants pour en parer leurs maîtresses, mais pour placer leur argent et faire monter le cours des De Beers.

Associées au souvenir d'un événement important pour le Narrateur, telles toilettes établissent dans *la Recherche du temps perdu* comme un calendrier secret à son seul usage. Elles sont dans l'économie de l'œuvre comme des motifs musicaux : robe de jardin en mousseline bleue "à laquelle pendaient des petits cordons de paille tressée" que portait à Combray sa mère, et à laquelle est associé le souvenir de la première défaite de ses parents dans son éducation; robe rose de "la dame en rose", et robe blanche de "la dame en blanc" (Odette de Crécy dans le jardin d'Auteuil et Mme Swann dans le parc de Tansonville); robe jaune de la duchesse de Guermantes à la matinée de Mme de Villeparisis, robe de bal rouge qu'elle porte lorsque Swann lui annonce qu'il est condamné; robe grise d'Albertine dans le train de la Raspelière, manteau bleu de Fortuny qu'elle porte pour sa dernière sortie avec le Narrateur. Certaines toilettes réapparaissent en un défilé accéléré, comme font les souvenirs avant la mort, dans *le Temps Retrouvé :* la robe rouge de la duchesse, le manteau violet de Mme Swann, le manteau bleu d'Albertine, et, de Swann, la pelisse et le huit-reflets qui impressionnaient tellement le Narrateur enfant.

Ce huit-reflets, Swann l'a conservé inchangé à travers les modes successives. Il appartient en effet à l'individu, selon Proust, d'inscrire par le vêtement sa propre histoire dans l'Histoire. Ce que réalise d'autre manière Mme Swann qui, tout en étant à la mode, fait figurer dans ses robes le souvenir de modes qui ont assuré ses succès d'antan : rampe de dentelle noire sur une robe rouge, qui fait penser aux volants des années 1870, rangée de boutons, ou dépassant à effilé, jouant les gilets de naguère. A ce goût du chiffon-mémoire s'oppose l'horreur de la duchesse de Guermantes pour le costume historique, son choix d'une élégance toute moderne; aussi sa toilette du mariage Percepieds offre-t-elle si peu à l'imagination du Narrateur, qui voudrait rêver aux origines mythiques de la famille de Guermantes. La fidélité vestimentaire au passé, chez Odette, n'est pas sans un secret rapport avec cette promotion sociale qui finit par la hisser au rang d'épouse morganatique du duc de Guermantes, cependant qu'est évincée, et dévalorisée mondainement, la trop moderne duchesse.

La mode est aussi moyen de vaincre le temps, cet ennemi, et de sauver l'identité fuyante qui fait l'objet de la *Recherche.* A défaut de retrouver par la magie de la mémoire affective la vraie et profonde identité, on peut, par une mise au point longuement étudiée devant son miroir et chez le couturier, s'en fabriquer une; car, comme ce temple qu'est notre corps empêche la belle âme de s'envoler, ainsi la toilette, seconde enceinte de la forteresse, protège la femme élégante contre les trahisons de l'état-civil et les indiscrétions de sa nature profonde. C'est tout l'art d'Odette. Cette belle construction ne volera en éclat, dit Proust, que sous le regard du grand portraitiste.

La phrase proustienne mime au moins par deux fois la transformation de l'homme ou de la femme parfaitement habillés en portrait *ne varietur,* l'éphémère et le mouvant se figeant en chef-d'œuvre au moment où, comme dans le jeu mondain des portraits au XVIIe siècle, après la description de l'habit ou de la robe, se dévoile pour finir l'identité de qui les porte :

> ... Saint-Loup, toujours inquiet et craignant qu'il ne s'agit d'une commission amoureuse à transmettre à sa maîtresse, regarda par la vitre et aperçut au fond du coupé, les mains serrées dans des gants blancs rayés de noir, une fleur à la boutonnière, M. de Charlus.

Autre exemple :

> ... je m'étais, en attendant de pouvoir saluer la maîtresse de maison, assis sur une bergère vide dans le deuxième salon, quand du premier, où sans doute elle avait été assise tout à fait au premier rang des chaises, je vis déboucher, majestueuse et haute dans une longue robe de satin jaune à laquelle étaient attachés en relief d'énormes pavots noirs, la duchesse.

Ce n'est point, comme dans la phrase retenue de Mallarmé, révélation couturière, ralenti du mouvement. Ici, bien qu'elle s'avance, ce n'est pas par sa démarche que s'annonce la déesse. L'impression est au contraire d'un personnage immobilisé à la porte du salon, dont l'aboyeur va crier le nom, ou celle d'un portrait mondain en pied.

Ici s'arrêtera notre rapprochement avec le portrait mondain de l'époque. Il ne s'agit pas d'apporter de l'eau au moulin de Cocteau, qui reproche à Proust de s'être trop inspiré de certains mauvais artistes, d'avoir imité Béraud dans la promenade de Mme Swann aux Champs-Élysées, de ne pas "arriver au style des petites mains" comme Constantin Guys et Berthe Morisot, et d'en être resté à l'esthétique de Madeleine Lemaire et d'Anatole France. On sait que Proust cite Guys à propos des attelages, et qu'aucun des ténors de la peinture officielle n'est nommé dans la *Recherche,* sauf Chaplin et Cot, mais pour être critiqués, et Helleu pour fournir un bon mot usé au pauvre Saniette. En revanche, Proust cite plusieurs fois Whistler, et Monet est omniprésent en Elstir. Proust a aussi reconnu que la vraie peinture du temps n'était pas le portrait de la comtesse de La Rochefoucault par Cot ou Chaplin, mais celui de l'éditeur Charpentier par Renoir. Renoir dont il dit que, grâce à sa peinture, nous remarquons maintenant dans la rue certaines femmes que l'on ne distinguait pas auparavant. Il reconnaît aussi que "les artistes qui ont donné les plus grandes visions d'élégance en ont recueilli les éléments chez des gens qui étaient rarement les plus grands élégants de l'époque".

Ce qui nous ramène aux impressionnistes et à Monet, qui rendent Proust sensible à la fusion de la robe avec l'air et la lumière qui la baignent. Le Narrateur aime, dans les toilettes de Mme Swann, qu'elles soient bien en harmonie avec l'heure et la saison, qu'elles évoquent un milieu naturel, comme, sur son portrait par Elstir, le tissu du vêtement suggère au *toucher du regard* "la fourrure d'une chatte, les pétales d'un œillet, les plumes d'une colombe''. Même sans le truchement du peintre, la robe présente quelquefois ces effets de nature : la manche d'un écossais pastel, que découvre la veste ôtée, jette un brusque arc-en-ciel sur la grisaille d'une robe d'Albertine. L'effet suprême, c'est le vêtement qui s'efface et le corps ''faisant palpiter la soie comme une sirène qui bat l'onde''. Sirène, fleur de sang, rubis en flammes, la belle robe associe la femme aux divers règnes de la nature, et elle recrée un milieu où vivre : ''Ces toilettes n'étaient pas un décor quelconque, remplaçable à volonté, mais une réalité précise et poétique comme est celle du temps qu'il fait, comme est la lumière spéciale à certaine heure''; ou encore : ''Chacune de ses robes m'apparaissait comme une ambiance naturelle, nécessaire, comme la projection d'un aspect particulier de son âme''. Proust sent le vêtement ou l'accessoire comme participant de la vie intime de l'être; ainsi cette ombrelle avec laquelle une femme dessine des ronds sur le tapis, et qui semble ''l'extrême antenne de sa vie mystérieuse''. Cette *aura* du vêtement peut se faire milieu protecteur et maternel. Charlus et Saint-Loup, dans un salon, se réfugient toujours dans les jupes abondantes de quelque belle amie; ils y trouvent ce bien-être dont Montesquiou se plaint d'avoir été privé dans sa jeunesse, et qu'il nomme ''un bain-marie de jupes''.

Sublimé, spiritualisé, le vêtement ou l'accessoire, comme en un bal costumé, opère toutes les métamorphoses, crée un monde où la poésie le cède souvent au fantastique. Ainsi de la duchesse de Guermantes, successivement oiseau becqué et onglé du blason, jolie mésange parée des baies de son parc, Néréide de la soirée Berma, sainte d'icône, et, dans sa robe orangée, en sa dernière incarnation, retournant au blason : corps saumonné émergeant des ailerons de dentelle noire de sa robe du soir et étranglé de joyaux, ''comme un très vieux poisson héraldique''. Et, autour de l'ombrelle redevenue baguette, la princesse de Luxembourg incurve sa taille magnifique *comme un serpent.*

Il va sans dire qu'abonde dans la *Recherche* la métaphore couturière. Elle est souvent le fait de personnages, et un peu ridicule : Mme de Cambremer, enthousiaste, voit un paysage marin s'ouvrir entre les feuillages *comme un éventail;* Mme de Villeparisis s'extasie sur "le petit tour de cou mauve" des fleurs qu'elle est en train de peindre. Mais Proust ne voit-il pas les fleurs tombées des pommiers dessiner une traîne de satin blanc? Chez lui, l'air du temps emprunte aussi ses images à la couture : *robe matinale* de la campagne embrumée, *robe d'or* de l'été; l'atmosphère brumeuse et maritime fait à la femme un *vêtement,* et la journée grise est comme la passementerie que file une ouvrière à sa fenêtre. Pour le Narrateur invité à la Raspelière, l'aller et retour dans le petit train dessine *une double écharpe.* Les informations que Mme Verdurin obtient par ses *téléphonages* un peu avant qu'elles n'éclatent dans les journaux du soir sont comme une *répétition de couturière.* Et le dédain de Saint-Loup n'est que le *vêtement de son humilité. Vêtement* encore, le corps qui s'use *comme une robe de chambre,* et dont la santé est une *étoffe* plus ou moins résistante. *Étoffe,* cette chair d'Albertine dont les subtiles caresses semblent faire apparaître l'intérieur comme une doublure. *Étoffe,* la vie où se reproduit un seul et même dessin tristement prévisible

Proust perfectionne les images qui assimilent le livre à la robe. La reliure de l'édition dans laquelle on a lu pour la première fois un grand roman trouve son analogie dans la robe que portait à la première entrevue la femme aimée. Et le livre lui-même, pour l'auteur qui s'en est détaché, n'est plus qu'un *habit d'autrefois.* Quant au travail de l'écrivain, il s'apparente à celui du couturier : les robes de Mme Swann, qui rappellent allusivement des modes passées, trouvent leur analogie dans "un beau style qui superpose des formes différentes et que fortifie une tradition cachée".

Cette analogie, qui répond à l'expérience du lecteur, revient dans les dernières pages du *Temps retrouvé,* comme expérience cette fois-ci du constructeur de la *Recherche*. Laissant à Balzac l'image de *la Comédie humaine* se construisant comme une cathédrale, Proust fait référence à une autre architecture : il bâtira son œuvre, dit-il, en cousant patiemment, avec l'aide de Françoise (rôle effectivement tenu par Céleste), les précieuses *paperolles*, ... "comme une robe".

10

Deux témoins privilégiés : Colette et Cocteau

"Le monde appartient aux femmes."
Philippe Sollers.

Colette témoigne pour presque un siècle de mode, remontant jusqu'au Second Empire avec Sido et la tante Cœur de *Claudine à Paris*. Elle a vécu, jeune fille, la mode des quinze dernières années du siècle, vécu et décrit tout ce qu'a inventé notre siècle, jusqu'à ce qu'elle devienne la spectatrice amusée des robes et des shorts qui se promènent dans le jardin du Palais-Royal ou sur la Croisette. Elles s'est intéressée à toutes les modes, féminines et masculines, empruntant à l'occasion la garde-robe masculine, qu'elle décrit aussi avec humour sur des hommes-objets amoureux du chiffon. Elles sont liées, ces modes, à ses diverses vies d'écolière, de Parisienne lancée, de mime, de journaliste, de romancière, et elle nous les rend réfractées, comme en de nombreux miroirs, en ces amies diverses avec lesquelles elle a tant de fois reformé, dans les coulisses du music-hall ou rue Cortambert, à la faveur de la guerre ou des vacances, des harems sans sultan indiscret. Avec Colette, le lecteur entre de plain-pied dans un *mundus muliebris* désacralisé, démythifié.

Dans le petit village bourguignon cerné de bois, la mode pénètre, apportée par les catalogues du Louvre ou du Bon Marché, d'où l'on fait venir des échantillons. Et, à la veille des festivités scolaires, il n'est question dans la cour d'école que de fichus croisés, de manches Louis XV, de sabots de mousseline, et des infinies ressources que la passementerie offre à la séduction. *Mademoiselle* éclipse la notairesse par un *chic* fait de sobriété, et par une taille moulée dans une jupe sans couture par-derrière — grande nouveauté à Saint-Sauveur-en-Puisaye! Quant à l'héroïne de *Claudine à l'école,* elle pousse aussi les recherches vestimentaires plus loin que ses compagnes, en arborant des rubans de cou en velours noir, des collerettes blanches plissées qui égaient ses robes sombres et attirent les foudres du moderne Caton qu'est l'inspecteur primaire. Déjà ingénue libertine, Claudine adopte l'été des robes-bébés reprises à la taille par une haute ceinture de cuir, ou les capelines de dentelle "tumultueuses et immenses". Elle mêle les raffinements de simplicité et les modes au superlatif, porte des chaussettes, et ces pantalons *fermés* qui scandalisent ses compagnes, et qui tiendront une si large place dans la littérature légère de la Belle Époque. L'exposition des *ouvrages de main,* matière de programme, à la distribution des prix, permet de jeter un regard chastement technique sur ces dessous que les romanciers ne citent qu'arrachés par les mains pressées de l'amant, répandus sur les meubles ou prestement renfilés au terme d'un cinq à sept galant : chemises de batiste à fleurettes et à empiècement, pantalons forme sabot jarretés de rubans, cache-corsets festonnés en haut, bas présentés sur des transparents de papier bleu, rouge ou mauve.

De Saint-Sauveur, la mode, en son reflux, importera à Paris la cape de chaperon rouge de l'écolière et le "sarraut claudinien", comme dit Colette dans *le Voyage égoïste,* et ce qu'on appelle toujours le *col Claudine,* en attendant la lotion, le parfum, la glace, la cravate, les cigarettes, le cure-dents et le papier photographique auxquels l'écolière devenue romancière donnera son nom. On n'en est pas là. Parisienne, Claudine convalescente se coud des dessous pour son trousseau, joue à la dame, "se remue" pour des robes et des manteaux, court les grands magasins. Un jeune cousin, un peu trop savant en chiffons, la pilote dans la cabine d'essayage et conseille jupière et coupeur.

L'écolière est douée; elle apprend vite à reconnaître ce qui vient du bon faiseur, et on ne lui en raconte pas sur le prix des choses : elle sait évaluer la botte de roses piquée sur une toque, reconnaître la cravate de panne tout soie à 15 francs 90 ou la robe de trente louis; elle décèle chez une presque-élégante les fausses notes que constituent un corset trop raide et pas assez cambré, une démarche mal assurée parce que le chapeau tient mal, et un mouvement inélégant pour relever une jupe. Elle apprend les bonnes adresses : boutique Liberty, Mme Gauthé place de la Madeleine pour les corsets, Mme Reboux rue de la Paix et Mme Lewis rue Saint-Honoré pour les chapeaux, Béchoff, David et Cie place de l'Opéra et Lelong à la Madeleine pour les robes; et pour les tailleurs, New-Britannia, dit-elle (traduisez Old England). Et elle découvre que sa couleur est le bleu, qui met en valeur le tabac d'Espagne de ses yeux.

"Jolie à sa manière mystérieuse", Claudine s'invente, aidée de Willy qui en fait la jumelle de Polaire. Et c'est la Colette qu'ont immortalisée tant de portraits, de photographies, de caricatures : sous le canotier, la blouse stricte à col blanc empesé et à cravate, et la simple jupe sombre qui colle aux hanches; et, signature en tout temps de l'élégance, reliant jupe et chemisier, la haute ceinture, "essence de la toilette", qu'aimait déjà l'écolière. Voilà pour la romancière Colette Willy. Claudine, le personnage, admet les exceptions que commande le lieu et la circonstance, ou qu'inspire la coquetterie, robe jaune ondulant comme une flamme, avec un décolletage aigu, capeline blanche nouée par des brides de tulle blanc, boléro de zibeline avec toque *en pareil.* Colette a fait s'affronter les deux femmes en un spirituel dialogue au miroir (1908).

Autour de Claudine, à la faveur des séjours à Bayreuth, dans les villes d'eau ou sur la Côte, se multiplient les coquettes dont les robes nous valent de pittoresques et malicieuses descriptions, Françaises aux jupes trop longues et dont le corset écrase les hanches, Anglaises et Américaines arborant soie et dentelle dès le matin, et les amies de Claudine, et ses amicales ennemies, Calliope van Langendock dans une robe trop riche de Chantilly noir sur crêpe de Chine trop clair, Mme Chassenet avec ses chapeaux volontairement trop petits; Marthe-la-Rousse, tantôt Vigée-Lebrun, tantôt Helleu, mousseuse dans des fichus croisés de mousseline à ruches. Deux héroïnes de Colette échappent à la caricature : Minne, la poétique ingénue, Minne jeune fille en robe de lingerie blanche, avec grand paillasson cloche, Minne courant et laissant voir au cousin amoureux le bas havane ajouré sur la cheville nacrée et le petit pantalon dentelé serré au-dessus du genou; Minne mariée, Minne libertine avec sa toque piquée de camélias blancs pour courir à un rendez-vous, et son pantalon étroit à jarretière qui méprise la mode et précise le fin genou; Minne discrète, étroite et plate dans son fourreau vert Empire, ou lunaire dans une robe couleur d'aigue-marine avec ceinture et rose d'argent, perles comme des grains de riz, ou dans une robe grise en velours d'argent terni et étole de renard noir; Minne qui déteste les "affaires d'homme" noires et rudes au toucher et les ridicules dessous masculins. Et voici la si féminine Rézi, aux hanches rondes et dansantes, svelte dans une robe collante gris de plomb qui fait hésiter sur la couleur de ses yeux, une étoile de diamant dans les cheveux; Rézi "à la traîne équivoque de Mélusine"; Rézi fourrée de loutre, gantée de Suède; Rézi habillée et déshabillée comme une jolie poupée qu'elle est.

A la même époque que Chanel sa contemporaine, dont elle louera plus tard la solidité et le bon sens provinciaux. Claudine-Colette refuse pour elle-même, au nom du bien-être, ces élégances parisiennes : "De la bure en dessus, du linon de princesse en dessous, des semelles doubles aux pieds et rien sur la tête, je ne me fais pas une autre idée du bonheur physique ici-bas'', déclare la Claudine de *l'Ingénue libertine.* Voici l'inventaire de la garde-robe *claudinienne* et fonctionnelle, où s'abolit la coquetterie : pour la campagne, courte jupe d'homespun et chemisettes chaudes de toutes les couleurs; à Paris, pour promener les chiens au Bois, costume imperméable châtaigne, bottes à talons plats et écharpe de laine rousse; pour la mer, costume de bain de gros jersey bleu et capeline de toile rouge; pour la voiture, voile vert sans fin entourant la toque étroite et le pare-poussière de tussor; et, en rentrant, bonne robe de chambre en laine à manches de moine, qui parle de repos et met la coquetterie en vacances. La mode, chez Colette, n'apparaît plus dans l'éclat des fêtes, suscitant l'admiration masculine; elle reste une affaire de femmes ''épluchant'' le chapeau d'une amie pour s'en moquer ou le copier, devinant la zibeline achetée rue de Provence chez la revendeuse, saisissant d'un œil ''agressif et féminin'' la robe qui fait ''messe de mariage'', découvrant avec dépit un autre exemplaire de sa robe haute couture certifiée unique, embobelinant enfin son couturier qu'elle ne peut payer. Et les messieurs ne sont pas épargnés par ce regard aigu auquel n'échappent pas le revers de moire trahissant le mauvais goût ou le pantalon qui ''visse''.

Mais, plus souvent encore la mode, saisie dans les coulisses du monde, est l'affaire de l'essayeuse que l'odeur d'aisselles négligées rend malade, de la femme de chambre ou de la femme désargentée qui doit penser à la doublure qui appelle une remplaçante, à la dentelle qu'il faut recoudre, à la robe réclamant l'intervention du teinturier. Autres coulisses de la mode, et coulisses au sens propre, celles du music-hall où joue Colette de 1906 à 1912, tant en province qu'à Paris. La mode ici, c'est, entre deux représentations, ''le plateau de velours noir poussiéreux, trois plumes pompeusement funéraires'' dans lequel la petite marcheuse repique avec soin les longues épingles dans les même trous pour le ménager, et qu'au repos elle couvre d'un journal, "édifice voyant et pauvre qui participe de la couronne de Peau-rouge, du bonnet phrygien et de la salade" (les chapeaux déchaînent, plus que toute autre pièce du vêtement, la verve de Colette). La mode, c'est le tour de cou longtemps désiré, la zibeline offerte par le monsieur riche, mais aussi les jupes irisées, tournoyantes et usées, les kimonos de crépon à 7 francs 95 le mètre et, pour voyager, la chrysalide neutre du tailleur.

Exilé aux confins pauvres et provinciaux de la mode, *l'Envers du music-hall* renseigne pourtant sur la mode du temps; il enregistre l'avènement de la robe princesse qui rend le jupon impossible, la promotion du tricot, jusqu'alors réservé aux chaussettes de grands-mères, et dont l'hiver 1911 fait de grands paletots de laine avec polo assorti, comme en tricote dans la coulisse, pour se faire un peu d'argent, une petite actrice. C'est de la scène que Colette découvre en 1910, chez les mondaines venues la voir en chatte merveilleuse, "l'obligatoire bonnet de cheveux postiches, couvrant les oreilles, noué d'un large ruban en compresse qui va du sourcil à la nuque" et qui, selon Colette, donne aux femmes "un air convalescent et pas lavé", transforme les visages en "petits muffles bestiaux".

Ces modes de l'avant-guerre et des premières années du siècle, Colette les retrouve avec *Chéri,* qui est de 1920, mais qui nous ramène au temps de la silhouette 1912, où bombaient le dos et le ventre, aux jupes entravées de 1914, qui dessinent les belles jambes de la grande Léa; et, la même année, à la jupe à raies accompagnée du spencer et du breton, qui durèrent une saison. Dans *Klouk,* ébauche de *Chéri,* une toilette porte très précisément la date de juin 1912 : celle de la petite Lulu, comédienne en tenue de ville, "qui réunit au goût du jour les paniers Louis XV, la ceinture Directoire, le décolletage byzantin et l'emmanchure japonaise; sur la tête, un petit calot noir qui a l'air de valoir quatre sous, d'où fuse une aigrette de cinquante louis. Ses pieds ne sont pas heureux sous la table à cause de deux souliers violets, brodés, à talon d'or". On a reconnu, dans cette tenue composite et à réminiscences, la griffe de Poiret.

Après la déclaration de guerre, la mode croit devoir faire silence, ou du moins se "recycler" : les femmes s'inventent des toilettes qui jouent l'uniforme. Déception des maris venus en permission. Colette, devenue Mme Henri de Jouvenel, dans sa chronique du *Matin* invite alors les dames à faire toilette. Un an se passe, et la robe entravée fait place à la jupe à douze lés prônée par le slogan : "Élargissez-vous et le monde entier s'élargira avec vous; restez étroite, et vous resterez étroite toute seule". La chroniqueuse dénonce l'illogisme d'une telle mode quand les matières premières se font rare; on en est pour les chaussures au cuir battu, et il fait froid, ce qui n'empêche pas la mode d'imposer la chaussure à empeigne courte et le talon haut ramassé sous la voûte, qui ne facilite pas la marche. Et que dire du serre-tête rigide de cuir, de crin ou de paille, qui donne des migraines? La mode parisienne, un peu honteuse tout de même de sa frivolité, choisit de se présenter un peu plus loin du théâtre de la guerre, dans un grand hôtel du lac de Côme. Colette "couvre" l'événement : robes de tulle, manteaux d'automobile "dont l'ambitieux lapin veut se faire aussi argenté que le renard", robes Liberty et chemisettes fines à passer dans une bague. Un jeune marquis italien sert de mannequin, des dames cosmopolites fraternisent dans le chiffon.

Pendant ces années de guerre, son métier de journaliste et le fait que sa *Vagabonde* ait été portée à l'écran introduisent Colette dans un milieu nouveau dont elle est un des premiers écrivains à parler : celui du cinéma. Elle y retrouve la mode, mais soumise aux impératifs du huitième art, aussi absolu et rigide alors, on le sait, que peut l'être le Nô ou le Kabuki dans son rituel costumier. En un de ces dialogues presque à une voix qu'elle affectionne, Colette laisse le scénariste interviewé énumérer la panoplie qui, dès les premiers mètres de pellicule, signale au spectateur d'un film *sensationnel* le justicier ou le bandit, qui utilisent la même garde-robe (cape noire, leggins et masque de velours); celle du jeune premier (jaquette bordée d'un galon mohair avec chemise sans empois, fort échancrée et à col renversé, et pelisse à col de fourrure pour sortir; dans l'intimité, vêtement d'intérieur, "fruit incestueux du pyjama et de la douillette"); celle de la femme du monde (taffetas noir et petit chapeau à voile flottant) ou de la femme fatale (costume tailleur, tenue de voyage, robe-gaine de velours noir ou déshabillé dit "étrange").

Quand Chéri de guerre revient, il trouve sa mère en uniforme d'infirmière-chef "sanglée de cuir comme un reître". Et sa femme ne quitte la blouse d'hôpital que pour des robes plates et des tuniques glissantes. Quant à Léa, elle porte elle aussi un uniforme, celui, asexué, des femmes mûres qui ont renoncé : jupe unie, longue veste impersonnelle entrouverte sur du linge à jabot, et la nuque, jadis mousseuse, rase. C'en est trop pour Chéri que hante le portrait de Léa dans sa toilette des drags de 1899; et la dernière image qu'il a de lui-même avant de se laisser glisser dans la mort lui apparaît dans une vitrine de la rue Royale "sur fond de midinettes, entre des colliers de jade et des renards argentés".

La Fin de Chéri est de 1926. A cette époque Colette, depuis quatre ans, donne des chroniques à *Vogue*. La voici donc assidue aux collections, qu'on nomme alors *présentations,* ici chez Lucien Lelong entouré de sa "cour mannequine", où elle note les tenues de sport, le pantalon qui est en train de supplanter la robe, les tissus nouveaux — crêpe marocain, Kasha de Rodier — les étoffes anglaises exprès décolorées, la soie de la robe-chemise, dont les merveilleuse peintures pallient l'indigence de coupe. Elle s'amuse des noms nouveaux, (crépellaire, bigarelle, poplachan, gousselaine, djuriselle), salue en 1925 le retour de la rose 1880, qui remplace la rose stylisée en forme d'œil ou de colimaçon, et l'arrivée de la calotte hexagonale qui remplace, après une décennie, la fameuse petite cloche. Et voici les fourrures nouvelles qui bafouent Buffon et l'histoire naturelle, les verroteries nées de l'impôt sur les bijoux, et les trois maîtres mots de la conversation en décembre 1924 : collier de perles, fourrure, automobile.

Après sa collaboration à *Vogue,* Colette prend ses vacances de chroniqueuse, sauf, dans *Prisons et paradis,* pour un joli instantané de Chanel à genoux, comme une lavandière, devant l'ange mannequin qu'elle sculpte; mais son œuvre tout entière est celle d'une chroniqueuse qui, s'intéressant aux mots en même temps qu'aux chiffons, note qu'en 1922 on dit encore *culotte* pour pantalon, que depuis la guerre *tenue* a prévalu sur toilette, qu'on parle de *petite robe,* du *trempé* d'un collier, de *l'animation* des perles, qu'on doit dire *brillant* et non diamant. Elle retient le vocabulaire technique et les mots d'argot, les *chichis* d'une coiffure, et les *grimpants* pour dire ce que les Anglais nommaient l'*innommable.* Dans les romans écrits entre 1920 et 1940 passent les robes de toile des vacances bretonnes ou tropéziennes qui "suivent la loi solaire plutôt que celle de la mode"; cependant que le souvenir de Sido ressuscite les modes Napoléon III, visites en cachemire, corsets goussets, chignon Benoiston, capotes à grappes de lilas et perles de jais.

Autre guerre : Colette a dépassé la cinquantaine : elle se souvient avec *Julie de Carneillan* (1941) de la Colette des années folles, souliers de lézard, parfum Fairyland, accessoires d'Hermès et petit feutre à plume de ramier. Remontant le temps, elle retrouve sa jeunesse avec *Gigi* en robe écossaire et bas de fil à côtes, canotier claudinien à plume-couteau et catogan. Et, à l'arrière-plan, la Belle Époque des cocotes de haut vol, qu'elle a connues, et qui appartiennent maintenant à l'Histoire, avec leurs chapeaux démesurés qui forcent à exhausser le toit des automobiles, leurs dessous en Chantilly noire, le collier de perles de la belle Otéro — trois rangs étagés — qui "vaut un royaume", et les trente-sept perles de Liane de Pougy — celle du centre grosse comme le pouce. *Le Képi* (1943) ajoute à cette résurrection 1900 les bandeaux de Cléo de

Mérode, la coiffure de Casque d'or et la culotte bouffante de la cycliste. La mode ne concerne plus beaucoup la vieille dame immobilisée, *entravée* comme elle dit, mais sa mémoire lui restitue encore, dans *le Fanal bleu* telle merveilleuse apparition de son amie Polaire en jupe courte de gommeuse aux couleurs de l'arc-en-ciel, ou en robe de soie luisante rose et verte, ou couleur terre cuite assortie à l'épiderme.

Rien n'a échappé à Colette des multiples aspects de la mode, de ses diverses parties : dessus et dessous (*être habillée dessous,* aime-t-elle à dire), tenues pour toutes les circonstances et tous les tempéraments; et il faudrait un chapitre spécial pour le maquillage, auquel Colette se consacre en professionnelle dans son institut de beauté en 1932, inventant des recettes de crèmes comme on fait des sauces, mais aussi, comme une bonne socière à la Michelet, cherchant des simples, confectionnant des onguents pour ses pauvres sœurs femelles : car sa sympathie va aux soins qu'elles prennent pour résister au temps. retarder la poignante "rétractation de la féminité". Nous voici loin des moralistes, si cruels à celles qui tentaient d'oublier leur âge. Colette sait l'héroïsme que représente une lutte de chaque jour pour rendre présentable "ce monstre, une vieille femme".

Dans son œuvre défilent aussi tous les personnages qui font la mode, du couturier au trottin, en passant par la dessinatrice de mode, le mannequin, l'essayeuse, la vendeuse, la corsetière et la masseuse, l'ouvrière qui renfile les perles et le mime qui donne aux femmes du monde des leçons de maintien. Et toutes les sortes de clientes, avec leurs préoccupations diverses selon leur âge, leur métier, leur fortune, de la femme pauvre qui se fait une liste d'achats très étudiée pour remonter sa garde-robe, jusqu'à la dame très à l'aise pour qui le dilemme se présente ainsi (et il se présente toujours ainsi!) : plusieurs petites robes pas chères pour changer souvent, ou la robe unique du bon faiseur qui convient dans toutes les circonstances. Cecil Beaton illustre ce dilemme en rappelant dans ses

Souvenirs le choix de la richissime Mme Errazuriz se déclarant pour la robe unique Balenciaga contre les cinq petites robes non signées.

> *"Je veux faire ce que je veux. Je ne porterai pas de manches courtes en hiver, ni de hauts cols en été. Je ne mettrai pas mes chapeaux sens devant derrière".*
>
> Colette.

Chez Colette, ce problème de choix est celui de Valentine, l'amie oisive et conformiste, pas celui de l'auteur, qui garde ses distances vis-à-vis de la frivole et impérieuse déesse Mode. Colette a toujours refusé la tyrannie de la mode au nom du goût, du bon sens et du confort. Elle se moque de la bigarrure, du panachage, de l'électisme, voulu ou involontaire, qui fait le ridicule. Elle a refusé la ligne en S et les froufrous 1900. La révolution de Poiret, pourtant salué comme le libérateur de la femme-au-corset, ne lui en impose pas, et elle caricature à l'occasion la silhouette qu'ont si élégamment dessinée Iturbide et Erté : "son chapeau éteignoir rejoint son col de renard gris qui emmitoufle la nuque et les oreilles; mais le reste du corps frissonne sous un satin mince étroitement enlacé où la lumière glisse comme sur un poisson blanc". La garçonne de 1920 ne lui plaît pas davantage avec sa robe trop courte, trop plate, qui suppose l'absence de croupe et de poitrine, sa coupe simpliste et son décalage par rapport aux saisons. La révolte de Colette est aussi celle du modèle et de la danseuse au corps libéré :

> Un seul renversement de mes reins ignorants de l'entrave ne suffit-il pas à insulter ces corps réduits par le long corset, appauvris par une mode qui les exige maigres?

Elle n'accepte que le voile le plus fin de Loïe Fuller :

> Je danserai, j'inventerai de belles danses lentes où le voile parfois me couvrira, parfois m'environnera comme une spirale de fumée, parfois se tendra derrière ma course, comme la toile

d'une barque... Je serai la statue, le vase animé, la bête bondissante, l'arbre balancé, l'esclave ivre.

Il serait trop facile de dire la modernité de ces revendications féministes. D'autres l'ont fait. On ne peut terminer sur l'indignation ou la révolte, s'agissant de Colette, qui n'est ni une militante nudiste, ni une moderne révoltée contre le soutien-gorge! Car ce qui la rend unique, c'est le regard amusé qu'elle porte sur les folies de la mode. Sa seule vengeance contre celles qui ont voulu l'*entraver,* c'est de faire descendre la superbe déesse, des hauteurs de la rue de la Paix, au monde, qui lui est familier, des bêtes et des plantes.

"La belle mannequin est un grand fauve capricieux".
Colette.

D'où ces chassés-croisés entre l'art et la nature, l'artificiel et le vivant : mouettes bataillant sur le chapeau de Rézi, chapeau de paille redevenant vieux panier où niche la petite marcheuse Glory; écharpes de fourrure redevenant, comme des chats tendres, des bêtes de cou"; toques de zibeline coiffant Claudine d'une "bête enroulée"; lilas choisissant d'éclore sur des tricornes et des toques. Pourquoi pas, puisque, corollairement, sur les vieux pommiers les fruits nains ont l'air de pommes artificielles à mettre sur les chapeaux? Fleurs animées : Grandville n'est pas loin, qui se reconnaîtrait aussi dans les élégants à corps d'animaux et dans les animaux singeant les humains : les vieux messieurs de Bade, habillés de noir avec plastron blanc, ressemblent à Toby-chien; Saha la chatte, "avec son jabot de belle femme", nargue sa rivale, la femme, cependant que son amie Péronelle la chienne, aux yeux soulignés de khol, a le ventre couleur de tourterelle "boutonné de haut en bas de taches noires veloutées". Et, ajoute Colette, "la régularité des rayures lui garde, à travers les pires désastres, un air distingué et correct de personne habillée chez le bon faiseur".

Ce n'est pas une féministe qui parle ici, mais un écrivain, qui sait voir et traduire en images les trompe-l'œil de la mode, de cette voilette de tulle par exemple, bridant le nez et tatouant le visage; un écrivain qui met au service du chiffon ses cinq sens, tous fort bien aiguisés, pour dire les nuances des tissus, s'ils sont doux ou revêches au toucher, d'odeur déplaisante ou agréable, jusqu'à mettre l'eau à la bouche, comme un fruit; et comme ils *murmurent, chuchotent, font hui-hui, bruissent comme des écailles.* Pas de toilette à laquelle la vertu d'une comparaison n'ajoute la sensation quasi cénesthésique de qui la porte. Chez Colette, une femme n'est jamais seulement habillée pour le regard des autres. Mais *ensachée, enlinceulée, cuirassée* dans sa robe, *accablée* d'hermine, *caparaçonnée* de fourrures, *bastionnée* de sévères taffetas, elle se transforme en pêche de Montreuil ou grappe de raisin, en momie, en guerrière, en esclave, en destrier, en citadelle imprenable.

> *"Le bataillon entretenait le négligé de la véritable élégance."*
>
> Jean Cocteau, *Thomas l'imposteur.*

Au contraire de son amie Colette, Cocteau, épris de mode, ne cesse de s'inventer selon l'heure et la circonstance. Des témoins de sa jeunesse se souviennent de l'avoir vu à sa toilette, improvisant devant ses visiteurs, rue de Surène dans sa robe de chambre de piqué noir, rue d'Anjou en pyjama également noir, un foulard rouge très serré autour du cou. On connaît le Cocteau en habit, cravate blanche, arborant à la boutonnière un gardénia qu'il recevait, dit-on, chaque jour de Londres; le Cocteau en veste gris pâle sur laquelle joue une chaîne d'argent; le poète à la campagne, veste de daim et cravate à pois; le familier des générales avec son écharpe blanche brodée comme une étole; Cocteau, manchettes retroussées pour faire valoir ses fins poignets. On n'en finirait pas de recenser les images qu'a laissées de lui l'élégant toujours mince qu'était Cocteau. Il suffit qu'un soir de théâtre, frisonnant dans son smoking, il emprunte à Jean Marais sa veste de la marine marchande anglaise pour que le duffle-coat devienne à la mode. Le Prince frivole connaît les bonnes adresses :

> Je bois à l'abreuvoir de l'air, je me repais
> De cette rue étourdissante de la Paix
> Où l'on roule léger entre deux murs de verre!
> Voici Guerlain, ce détrousseur de plates-bandes
> Cartier, qui fait tenir, magicien subtil
> De la lune en morceaux sur du soleil en fil,
> Et puis Charvet où l'arc-en-ciel prend des idées!

Toutefois le Prince frivole n'est jamais allé, dans son amour du luxe et du chiffon, jusqu'au dandysme et à sa religion. Il est même sévère pour le dandy : "Le dandy est tête froide et main froide". Et il le croit fragile. Cocteau, comme d'autres, a rêvé sur les exils jumeaux de Byron et de Brummell. C'est pour conclure : lorsque les rois mettent les poètes à la porte, les poètes gagnent. Lorsque George IV met Brummell à la porte... Brummell est perdu".

Les rapports de Cocteau avec la mode sont aussi et surtout de métier. Il est capable d'épingler de la tête aux pieds la robe de scène d'une de ses interprètes; il collabore à l'occasion avec Chanel, créatrice des costumes pour *le Train bleu, Antigone, les Chevaliers de la Table ronde,* à qui il donne un rôle plus important que n'avaient fait jusqu'à lui dramaturges et metteurs en scène. Et c'est à travers les modes de Chanel encore qu'il dessine les illustrations du *Bal du comte d'Orgel.* Sur son épée d'académicien, qui devait réunir les neuf Muses, l'émeraude qui somme le pommeau est offerte par la grande couturière. Ami également d'Elsa Schiaparelli, "couturière de feu et de flamme", il crée pour sa collection de l'été 1937 des dessins-tatouages, la robe bleu de lin, brodée sur l'épaule d'un profil de femme à la longue chevelure, et la broche dite *Oeil-de-Cocteau,* avec au coin une perle bougeant comme une larme. Pour un ami chroniqueur de mode il invente un gilet de bal en satin bleu nuit, sur lequel on lit, entourés de tout petits dessins (une paume fleurie, une corne d'abondance, une flamme) et signés de l'habituelle étoile, les mots : Jules Barbey d'Aurevilly/Les Diaboliques. Hermès lui commande des modèles et le *Harper's Bazaar* des dessins pour sa couverture.

Pendant la guerre, le film de Jean Delannoy *L'Éternel retour* devra une part de son succès à la collaboration de Cocteau avec un autre grand couturier, Marcel Rochas, qui crée les robes drapées "hors mode" de Madeleine Sologne. Après la guerre, Cocteau s'occupe avec Christian Bérard du *Théâtre de la mode,* qui présente jusqu'au bout du monde les créations de la haute couture parisienne, comme jadis, sur de grandes poupées de quatre-vingt centimètres. Et c'est encore au métier de la couture que l'écrivain rend hommage lorsqu'en 1963 il décrit dans la *Mésangère* les *petites mains* vêtues de sarreaux que donne à voir l'illustrateur du livre, Foujita.

> *"Et l'Histoire assise, en train de coudre."*
>
> Cocteau.

De seize ans le cadet de Colette, Cocteau remonte pourtant loin dans le passé de la mode, en Parisien tôt lancé dans le monde. Ses *Portraits-souvenirs* suivent l'enfant qui a pour jardin les Champs-Élysées de Proust et, l'été, le parc mondain de Maisons-Laffitte, et qui assistait, ébloui, à la toilette d'une jolie maman s'habillant pour une grande soirée : joie d'embrasser, par la "petite lucarne" du gant la main de celle qui restera dans sa mémoire une "madone, étranglée de diamants, empanachée d'une aigrette nocturne, châtaigne étincelante, hérissée de rayons". Lycéen, il "sèche" le pourtant *copurchic* Condorcet pour aller voir des spectacles et des célébrités, il sait déjà qu'il n'y a d'élégance masculine qu'anglaise, et de chapelier que Lock. Jeune homme, il a pour plus proche voisine le modèle de l'élégante duchesse de Guermantes. Écrivain, il fait revivre les modes successives : celles que ressuscite son imagination lorsqu'il rencontre des étoiles à leur déclin, telle l'impératrice Eugénie, qu'il aperçoit dans son parc de Cyrnos à Cap-Martin, plus du tout Winterhalter, sans crinoline, sans spencer, sans *suivez-moi jeune homme* ni *saute-en-barque,* sans ombrelle. Puis les modes qu'il a connues, 1895, 1900 et leurs grandes heures, bals costumés, gymkanas, présentations de couturiers avec leurs mannequins "pareils à des jockeys qui seraient leurs propres chevaux et tourneraient dans un paddock de glaces". Il emprunte leur crayon à Sem et à Capiello pour croquer les patineuses du Palais de glace et les célébrités du temps : Anna de Noailles "jonchant le sol de voiles, d'écharpes, de colliers, de chapelets arabes, de manchons, de mouchoirs, de parapluies tom-pouce, de ceintures et d'épingles doubles"; Colette "si mince dans son costume de cycliste, de fox-terrier en jupes, avec sur l'œil, une petite tache noire, retroussée à la tempe par un nœud de faveur rouge"; Mistinguett, "en jupe de gommeuse, châle espagnol et sombrero chantant la matchiche, ou émergeant d'une forêt de plumes en tailleur strict", les yeux maquillés en "roues de bicyclettes"; et encore Polaire, la Loïe Fuller, Isadora Duncan et son meurtrier châle rouge, Sarah Bernard en Theodora, Cléo de Mérode "en cuirasse d'or". Et, parmi les vedettes masculines, Willy, Catulle Mendès, Poiret, "émir à barbe de châtaigne".

Si le dessinateur cerne volontiers la toilette jusqu'à la caricature, le poète emphatise les vêtements qu'il a aimés, retrouvant pour parler des grands demi-mondains 1900, vêtus de satin, de velours, de plumes et de perles, le vocabulaire métaphorique de Barbey d'Aurevilly décrivant ses *fair-warriors :* cuissards, gantelets, licols, cottes, baudriers et boucliers. Et les grandes cocottes du pavillon d'Armenonville sont des "samouraï de zibeline". La métaphore accomplit aussi le miracle de faire rentrer dans le giron de la mode tout ce qu'il décrit. Le bruit des mitrailleurs, par exemple, "sombrant soudain leur murmure du bleu pâle au velours noir''. Comme les surréalistes, mais avec plus de dentelles que de perles, Cocteau voit l'architecture et le vêtement échanger leurs matériaux. Sur les *Ménines* de Vélasquez :

> Si jamais le soleil profite d'une fente
> La dentelle aussitôt le charge de ses fers,

Et, au rebours, la vraie New-york lui apparaît dans un tableau de Barbette (1925) ''avec les plumes d'autruche de sa mer et de ses usines, ses immeubles en tulle, sa précision de sirène, et ses parures, ses aigrettes d'électricité''. Le monde moral trouve aussi tout naturellement ses termes de comparaison dans la mode, car, pour Cocteau, l'élégance de la toilette et celle de l'âme ont même origine. Dans *Thomas l'Imposteur,* il dit de Mme de Bornes qu'elle ''déformait la vertu comme l'élégance déforme un habit trop roide, et la beauté de l'âme lui était si naturelle qu'on ne la lui remarquait pas''. D'où il résulte qu'on la juge mal : ''C'est donc de la sorte dont les gens mal habillés jugent l'élégance que la jugeait le monde hypocrite''.

> *''La mode se déroule dans un autre temps et à une autre vitesse que la beauté.''*
>
> Cocteau.

De la mode, Cocteau a dit la puissance; personne ne peut s'en désintéresser : ''Les personnes qui méprisent la mode obéissent à une mode. A tout prix ne suivre ni l'un, ni l'autre''. Mais il en a surtout senti l'attendrissante fragilité. On connaît la phrase toujours citée sur la mode insolente, ''qui émeut parce qu'elle meurt jeune'', ou, sous la forme d'un aphorisme : ''La mode meurt jeune. C'est ce qui fait sa légèreté si grave''. D'autres idées que nous avons déjà rencontrées se retrouvent chez Cocteau, mais habillées de neuf; par exemple, *la façon de porter vaut mieux que ce qu'on porte* devient : ''Sur certaines femmes les plus belles perles deviennent fausses. En revanche, sur d'autres, des perles fausses paraissent véritables''.

Frappé par la fragilité de la mode, Cocteau est reconnaissant à ceux qui ont su la saisir, grands peintres comme Goya, Manet, Renoir, Vuillard, ou caricaturistes comme Sem et Capiello, grâce à qui les modes apparemment disgracieuses, ou devenues telles aux yeux de la postérité, gardent un charme éternel. Comme Baudelaire, Cocteau refuse de trouver ridicules les modes passées. Il rêve pour elles un lieu idéal où elles "gagneront cette place sereine où elles s'étoilent, où l'œil les contemple en dehors du mécanisme mondain". Ce paradis rêvé se réalise aujourd'hui dans les musées, où les robes de jadis et de naguère habillent des mannequins au visage de bois ou de cire, aux cheveux de copeaux ou de papier argenté.

"La couture crée des choses belles qui deviennent laides, alors que l'art crée des choses laides qui deviennent belles".

Chanel citée par Cocteau.

Cocteau refuse aussi de dire le ridicule des modes nouvelles, lorsque l'œil ne s'est pas encore habitué à "l'expression la plus récente de la beauté". La robe nouvelle cause alors autant de scandale que la musique jamais encore entendue, la peinture jamais vue; mais, pour la robe, il n'y a pas de possible rattrapage, ou révision de procès, puisque là il faut plaire sur l'heure, que tout se joue, comme au théâtre, dans l'instant de l'apparition.

On rencontre chez Cocteau une idée et un souhait apparus quelques années plus tôt dans *Noblesse de robe* de la princesse Bibesco : la mode est un phénomène naturel, comme l'éclosion d'une fleur, et le jeune cinéma pourrait rendre sensible une harmonie dans la succession des modes, harmonie que la romancière a pressentie avant les historiens de la mode. Feuilletant en effet une collection de gravures de mode, qui allaient de 1780 à 1928, elle a vu se dessiner un "graphique de femmes ressemblant par ses courbes à un film de fleurs", de la pivoine Marie-Antoinette à la spirale d'iris du Directoire et de l'Empire;

puis, à partir de la Restauration, les jupes grossissent jusqu'à aboutir à la crinoline; 1871 calme ce gigantisme, puis 1900 dilate à nouveau les calices renversés des jupes et des manches. On songe à Dumas fils remarquant que la jupe allait toujours du parapluie à la cloche et inversement.

Pas de comparaison chez Cocteau avec le monde floral, mais il appelle aussi l'aide de la caméra pour que les changements de la robe, de la coiffure et par suite du corps féminin apparaissent dans leur *accélération,* dans leur vie intense, "sans jamais se fixer dans une posture malséante qui les rende ridicules". Quant au mouvement de la mode, il le voit partant d'une révolte et d'une secousse, s'organisant et devenant rythme jusqu'au prochain choc, où tout recommence, selon un "implacable mécanisme d'ondes et de nœuds" qui empêche la vie de se pétrifier. Il distingue aussi les vitesses diverses de la mode saisonnière, et du style d'une époque.

"Il n'y a pas de rime plus riche que deux jambes en bas Kayser".

Ce slogan n'est pas le seul texte de Cocteau où la métaphore jette un pont entre le chiffon et le poème :

Plus que la chair encore une âme dévêtue
Attente à la pudeur. Un poète la doit
D'une robe vêtir pour que nul dans la rue
Ne le montre du doigt.

et dans des textes intitulés *Des mots, De mon style,* il semble prolonger les comparaisons mallarméennes de *la Dernière mode :*

Les mots riches de couleur et de sonorité sont aussi difficiles d'emploi que les bijoux voyants et que les teintes vives de la toilette. Jamais une élégante ne s'en affuble.

On reconnaît là l'horreur de Cocteau pour les effets voyants, dans la toilette comme dans la manière de se comporter : "il faut vivre comme tout le monde en n'étant comme personne". On reconnaît aussi son horreur du neuf, dont il dit que Radiguet, âgé de quatorze ans, lui a appris à se méfier. Horreur qui lui suggère aussi cette pensée où l'écrivain et l'homme élégant se rencontrent :

> Il faut employer une idée originale avec les plus grandes précautions, pour n'avoir pas l'air de mettre un costume neuf.

11

Les Années folles, et les suivantes

> *"J'aimais, j'aimais le peuple habile des machines*
> *Le luxe et la beauté ne sont que son écume".*
>
> Apollinaire.

Les modes qui vont triompher après la guerre s'annoncent déjà chez Apollinaire : grâce à Marie Laurencin, il s'intéresse à la mode; dans *le Poète assassiné,* il habille sa Macarée d'une des premières jupes de cycliste, et la conduit chez les grands couturiers. Trois années, trois modes trouvent un écho dans son œuvre : 1909, 1912, 1914.

1909, c'est le titre d'un poème *d'Alcools,* qui évoque, à sa date, une robe de Poiret, sans manches, composée de deux panneaux s'attachant sur l'épaule. La dernière strophe en reprend les caractéristiques :

La dame en ottoman violine
Et en tunique brodée d'or
Décolletée en rond
Promenait ses boucles
Et traînait ses petits souliers à boucles.

1912, c'est, dans le chapitre *Mode* du *Poète assassiné,* l'amusante fantaisie reprise de sa dernière chronique parue dans *le Passant* du 6 janvier 1912. Tristouse Ballerinette, alias Marie Laurencin, renseigne le *föpoite* (fauxpoète) Paponat (Paul Poiret sans doute), retour d'Italie, sur la dernière mode parisienne, qui utilise maint matériau nouveau et incongru : procédé qui appelle, de la part de Tristouse, la comparaison avec la poésie : "La mode ne méprise rien, elle ennoblit tout. Elle fait pour les matières ce que les Romantiques firent pour les mots".

1914, c'est Esther Goulot à Bullier avec ses cheveux lilas, ses fourrures blanches et son monocle. Elle aurait lancé une mode, dit Apollinaire, s'il n'y avait pas eu la guerre, et s'il n'avait manqué un Gavarni aux bals publics de 1914. A Bullier, Apollinaire voit naître une autre mode qu'il croit aussi sans lendemain, mais qui reparaîtra après la guerre. Les créateurs n'en sont pas des couturiers, mais des peintres, qui inventent en peinture, en même temps qu'Apollinaire et Cendrars en poésie, la simultanéité : "L'orphisme simultané produisait à Bullier des nouveautés vestimentaires qui n'étaient pas à dédaigner. Elles eussent fourni à Carlyle un curieux chapitre de *Sartor resartus*". Sonia et Robert Delaunay, vrais novateurs, rompent avec deux constantes de la mode française : la priorité donnée à la coupe, et l'allusion à des modes anciennes; ils ne s'intéressent qu'à la couleur et aux matières. Apollinaire décrit deux costumes arc-en-ciel masculins de Robert Delaunay : l'un, veston violet, gilet beige, pantalon nègre; l'autre, manteau rouge à col bleu, pantalon noir, veston vert, gilet bleu ciel, minuscule cravate rouge, chaussettes rouges, chaussures jaune et noir; et un costume féminin dû à Sonia Delaunay-Terck : tailleur violet, longue ceinture violette et verte, et, sous la jaquette, un corsage divisé en zones de couleurs vives, tendres et passées, où se mêlent le vieux rose, la couleur tango, le bleu nattier, l'écarlate, etc., cet arc-en-ciel apparaissant sur des tissus divers juxtaposés, drap, taffetas, tulle, pilou, moire, poult-de-soie. C'est, dit Apollinaire, mettre de la fantaisie dans l'élégance. On connaît les costumes toupies de Sonia Delaunay (1922), la pointe tantôt en haut, tantôt en bas, et où se superposent le rouge, le beige, le jaune, le bleu ciel, le noir, le bleu foncé et le vert.

Derniers clins d'œil d'Apollinaire à la mode : *la Cravate,* poème-calligramme, et, dans les *Poèmes retrouvés,* cette pseudo-réclame, pastiche de Verlaine, pour la maison Walkover :

> C'est bien la pire empeigne
> Qu'on vend hors de chez toi
> *Walk over,* noble enseigne,
> Mes pieds ont tant de peine!

Emboîtant le pas à Apollinaire, ses amis poètes, futuristes et nunistes, appellent une révolution aussi radicale dans la mode que dans la peinture et la poésie. En 1916, P. Albert-Birot écrit dans sa revue *Sic :*

> Qu'on ait songé à la jupe courte, bien. Ç'a a du charme et de l'allure. Mais les paniers, ah non! mais les corsages étriqués, boutonnés et aussi hermétiquement fermés que l'esprit d'un homme important, ah! non, non, non! Assez de "dixhuitiémisme", assez de "dixhuitcentrentisme", assez de "bienpensantisme". Et quand la France se montre si jeune, si forte, si belle, ne se touvera-t-il donc pas un couturier capable de lui donner la robe qui lui convient?

Un texte du même poète, qui s'intitule *Pas de corset,* récuse ainsi l'utilité de cette armature : "Monsieur, vous savez bien que ce qui a le plus de valeur est justement ce qui se tient tout seul"!

"Il n'y a que Londres et Paris : tout le reste est du paysage".
Valéry Larbaud.

> Le chapeau à la main il entra du pied droit
> Chez un tailleur très chic et fournisseur du Roi

Ces vers de *l'Émigrant de Landor Road* (qui sont antérieurs à 1905) semblent prophétiser le destin de Barnabooth faisant ses emplettes dans le quartier de Bond Street (pendant que sa femme va s'habiller rue de la Paix), avant de se rembarquer pour le Nouveau-Monde :

Mon bateau partira demain pour l'Amérique...

En 1905, Barnabooth et en train de naître (son *journal* est de 1908) en même temps que Gaston d'Ercoule, version 1900 et bourbonnaise des lions provinciaux de Balzac. D'Ercoule, s'aidant de ses souvenirs de Rivebelle-Vichy, obtient d'un tailleur quasi campagnard, en le guidant et lui fournissant tissu et patron, la seule élégance qu'il apprécie, comme Larbaud lui-même, celle qui s'achète à Saville Row. Avec Barnabooth, millionnaire Sud-Américain et globe-trotter, Larbaud invente le "boutiquisme", shopping à la française, mot que n'ont retenu ni les usagers ni le dictionnaire, pas plus que ce *chapeau de soie* que ses amis dandys et lui-même voulaient substituer à *haut-de-forme*. A Paris, Barnabooth, amoureux de la fille du "pauvre tailleur", se commande par douze douzaines chemises, caleçons et bonnets de nuit en soie (encore qu'il n'en porte pas!). De Florence, où sa première visite est pour l'élégante via Tornabuoni, il commande par télégramme ses chemises chez Charvet, ses complets chez Poole, fournisseur du Roi, ses cannes chez Briggs, et ses chapeaux chez le légendaire Lock de St James Street. L'éloge de l'élégance anglaise revient comme une obsession sous la plume de Barnabooth, l'éloge de Poole surtout dont il admire "la coupe simple, même très simple et un peu lourde", et qui semblerait provinciale à Florence ou à Paris. Quand il est à Londres, il prend plaisir à coudoyer, dans l'étroite boutique de Lock, toute l'aristocratie anglaise.

Même lorsque Barnabooth a *dématérialisé* son argent en vendant yacht, voiture et villa, le goût du luxe dans la toilette et ses accessoires reste en lui fort "comme une vocation". Comme une provocation aussi à l'égard des gens "à vêtements rayés", qui le considèrent comme un "stupide millionaire" à cause de ses jaquettes anglaises.

Refusant aussi pour les femmes le dogme qu'est, selon lui, la mode de Paris, Larbaud considère Londres comme une capitale de l'élégance féminine, où la mode parisienne revue et corrigée "s'approche plus que partout ailleurs de cette mode idéale que nous ambitionnons". C'est ainsi qu'il s'exprime en 1917, lorsque, invité à écrire dans une revue espagnole d'inspiration hygiéniste, il souhaite, en pionnier de l'idée européenne, la création d'une sorte d'Europe du chiffon qui prendrait ce qu'offrent de mieux les trois pays qui comptent en fait de mode, la France, l'Angleterre, l'Espagne, représentées respectivement dans son article par Marie, mannequin chez Drécoll, Gladys, riche et sportive, et la conjugale Lolita.

Après la guerre, Larbaud-Barnabooth apprécie les dames en "robes basses" qui "mangent de bon appétit de belles viandes saignantes". En quoi cet anglomane se démarque de Byron, qui ne pouvait supporter la vue d'une dame mangeant! Le familier des palaces de l'Adriatique s'amuse de voir les décolletés des robes paradoxalement plus généreux que ceux des costumes de bains, et de découvrir "de curieuses lignes-frontières entre les régions abandonnées tout le jour à la brutalité solaire et celles qui lui sont interdites". Un souvernir amoureux rappelle à Barnabooth ces jupes collantes qui s'arrêtaient aux chevilles et qu'on portait, dit-il, très exactement en 1905. Et il rêve d'habiller les demoiselles Yarza, qu'il a recueillies.

A travers d'autres personnages, Larbaud poursuit ses rêves d'élégance féminine et masculine. Putouarey le Français adore accompagner une femme chez sa couturière et se croit ainsi "initié dans les mystères". Le narrateur de *Mon seul conseil* supplie celle qu'il aime d'accepter un chapeau qui est "amoureux de ses cheveux", trouve merveilleux que les essayeuses s'agenouillent devant sa divinité, et, dans le défilé de mannequins, voit des Panathénées données en son honneur. Dans *Beauté, mon beau souci,* la plus grande preuve d'amour que le millionnaire Reginald Harding donne à sa bien-aimée est de renoncer pour elle à ses "charmants chapeaux français". Et le voyageur d'*Allen* veut rebrousser chemin pour acheter à Paris "un merveilleux chapeau de voyage, d'une étoffe gris-mauve, qu'il risque de regretter toute sa vie''.

Chez Larbaud, l'amour du chiffon n'inspire pas seulement d'amusantes images couturières (ainsi la petite république de San-Marino est-elle ''comme la rosette que l'Italie porte à sa boutonnière''), mais un style, le style dandy, qui habille si bien l'insolence et le paradoxe. L'insolence : les riches Argentines s'habillent moins archaïquement que les Parisiennes. Le paradoxe : on s'habille plus facilement en province qu'à Paris. Et Larbaud rend vrai le paradoxe en soignant mieux sa mise quand il vit en Bourbonnais, par protestation contre le laisser-aller de la province. Enfin cette pensée que ''la fortune semble matérialiser l'esprit et projeter dans la vie de la rue la splendeur intérieure de l'homme'' paraît inspirée par le *Traité de la vie élégante*.

''Le vêtement en dit long sur l'homme; nu, il cachera plus jalousement ses secrets. Je vois, sous le soleil à pic, une société ténébreuse et qui ment''.

Paul Morand.

La mode des Années folles se place sous le signe d'un cosmopolitisme, en quelque sorte centrifuge et centripète, les écrivains français devenant très voyageurs, et les étrangers, Américains ''transatlantiques'', Russes exilés, refluant vers un Paris ''babélisant'', comme dit Maurice Sachs, et y important qui le tango, qui le manhattan, qui les broderies russes.

La rencontre va de soi entre Paul Morand, l'Homme pressé, globe-trotter comme Barnabooth, et ce qui bouge tant, la mode. Les robes bougent dans le hall du Negresco, dans le compartiment de l'Orient-Express peuplé de grandes couturières et de leurs clientes, — dans tout le kaléidoscope géographique qu'est l'œuvre de Morand. Maintes fois, et en divers lieux, l'auteur fait la description de ce ''pays captivant et acidulé que limitent des souliers et un chapeau''. Selon une autre géographie, il parcourt la mode depuis la côte Est des États-Unis où, pour les millionnaires, le printemps parisien s'appelle Redfern, jusqu'à ce Paris où des passionnées des premiers westerns portent des boucles d'oreilles qui rappellent "le Far-West et les dames qui tirent derrière leur dos dans une glace".

Chez Morand la mode s'anime, liée, dans *le Bazar de la Charité,* à la découverte qu'en fait une jeune femme avec sa première robe de Doucet ou de Patou, à sa joie de vivre dans de la mousseline rose, à son désir de plaire dans un boléro d'or. L'accessoire et le maquillage s'intègrent parfaitement chez lui à l'élégance, le bijou et le fard emphatisant le geste d'une manière très baudelairienne : pendants d'oreilles qui "acquiescent", "parole entourée de rouge". Baudelairien aussi le plaisir sensuel de l'homme savourant le parfum poivré d'une fourrure et rêvant d'être chat pour se rouler dessus. Souvent telle robe de Worth ou de Doucet n'apparaît comme dans *la Présidente,* que traduite dans le portrait qu'en a fait un peintre mondain, Sargent, Bouguereau, Gerveix, Helleu ou Bastien-Lepage. Après les Goncourt et Baudelaire, Morand est sensible aussi au pathétique des vêtements d'où la femme s'est retirée, "pendus parfumés dans le placard", et de ces reliques qui, dans *Fermé la nuit,* font le sujet d'une émouvante nature morte, "tout ce qu'un jour il restera d'une femme : de longs gants comme des serpents tués, une robe vidée de son corps, un chapeau avec un oiseau mort".

Morand est dans le secret d'un monde féminin naïf et fantaisiste, où l'on range ses lettres dans son carton à chapeau, où l'on se lisse les cils avec la petite brosse à dorer la pâtisserie, où l'on choisit sa robe pour plaire à Jean-Gabriel Domergue, où l'on pratique le *beauty-sleep,* où l'on ne jure que par les *ondulations Marcel,* où l'on fume des cigarettes à l'ambre, où l'on connaît les meilleures adresses de jerseys de soie et de manteaux patchwork, et où l'on commande sa robe par téléphone.

Il a dit la mode 1900, mais surtout celle des Années folles où, dans les bars de Montparnasse, les nouveaux dandys s'habillent de toile à sac pour faire *anti-mode,* où les femmes ont le visage rond et lisse de Kiki. Quelle que soit l'époque, Morand regarde la toilette en homme qui a lu, ou retrouvé, Balzac et Carlyle : la toilette n'est pour lui qu'une partie d'un ensemble, liée qu'elle est au parfum, à l'apéritif, à la voiture, à la musique, à la danse, au mobilier, à la marque de cigare, qui caractérisent un style. Lié aussi à l'architecture à travers les images, baudelairiennes encore, de manteaux du soir ouvrant "sur la pièce intime et capitonnée d'un grand décolleté", manteaux-reliquaires au fond desquels vit la statue, et dont on a la version après-midi dans le "ciré insubmersible" où Wanda est "domiciliée". Inversement : la grille en fer forgé de la Hofburg paraît à l'écrivain une voilette qui protège le visage hautain de la porte.

La mode, avec ses gestes et les sentiments qu'elle suggère, profite chez Morand de ce style elliptique amusant qui lui est habituel. Il dit d'une femme reprenant son manteau au vestiaire : "D'un geste elle s'enveloppa de quatre-vingt-dix-huit lapins blancs", et des messieurs, cavaliers-servants : "Les hommes retrouvaient un camarade : leur chapeau".

Juste pour montrer la vogue du dandysme cosmopolite, on aurait envie de faire une incursion dans la sous-littérature, très lisible d'ailleurs, et de citer un roman qui est *de gare* à plus d'un titre : *la Madone des sleepings*. Le héros en est un de ces gentilshommes français décavés qui, dans la foulée de Boni de Castellane, a épousé une milliardaire américaine. Là, les hommes sont habillés selon les derniers rites de la mode londonienne, et les femmes font chez leur couturier des dettes de dix mille guinées. Et l'auteur s'en donne à cœur joie de décrire robes, pyjamas, flacons de parfum, fume-cigarettes, bijoux et bagages de luxe.

"C'était une jeune fille d'aujourd'hui, c'est-à-dire à peu près un jeune homme d'hier."

Paul Morand.

Les Années folles évoquent maintenant pour nous, à

travers les films, ces casques d'argent et ces robes sans taille richement brodées qui transformaient les Américaines fraîchement débarquées à Paris en princesses russes du temps de Pierre le Grand. Nous nous rappelons les sautoirs de perles, vraies ou fausses, et Chanel, gênée de porter ses trois rangs de perles merveilleuses, les faisant copier en faux et lançant du coup une mode. Près des femmes, et aussi des écrivains et poètes de l'entre-deux-guerres, la perle jouit du succès qu'avaient eu auparavant le jais et l'opale. Sans posséder l'aspect ni la réputation maléfique de cette dernière, la perle, parce qu'il n'est pas toujours aisé de voir si elle est vraie ou fausse, fournit le sujet de maint drame privé aux romanciers et nouvellistes, comme fait le diamant de *Madame de...,* dans la nouvelle de Louise de Villemorin.

Cette mode féminine des Années folles, à laquelle nous trouvons aujourd'hui du charme, n'a guère inspiré sur le moment les écrivains, qui s'habituent mal au corps libéré de la garçonne, et à une mode sans tradition, sans allusions historiques proches. Même l'auteur de *la Garçonne,* qui fait finalement de son héroïne une grande couturière, n'abonde pas en descriptions émerveillées. Et Prévost, qui avait eu en son temps les audaces de Paul Margueritte, dissuade maintenant la destinatrice des *Nouvelles lettres à Françoise* de devenir l'esclave d'une mode "frénétique" qui risque de faire d'elle une "petite femme", c'est-à-dire une femme-objet déjà. Et c'est sans doute seulement la mode du flou, je veux le croire, qui inspire à Paul Morand ce verdict : "La femme, c'est le triomphe du mou".

A cette époque, par un jeu normal d'opposition, la taille, libérée chez les dames, s'étrangle chez les messieurs dans la veste croisée à quatre ou six boutons, qui jette Maurice Sachs, le jeune bourgeois riche de *Au temps du Bœuf sur le toit,* dans des entretiens d'une demi-journée avec le meilleur tailleur de Paris, Knizé. Ce dont il a honte, mais il se pardonne en songeant que Balzac et Baudelaire en eussent fait autant. Sans remonter aussi haut, il aurait pu trouver dans sa génération bien des écrivains pour justifier sa coquetterie.

Dandysme pas mort, qui inspire à des écrivains, souvent grands bourgeois intellectuels (et la mode leur est une acquisition récente), plus d'intérêt pour la toilette masculine que pour une toilette féminine qui ne l'est plus guère. Il en va ainsi de Gide, Mauriac, Maurois, Giraudoux, Drieu La Rochelle.

> *"C'est le chapeau qui fait l'homme."*
>
> Max Ernst.

> *"Et par égard pour les souliers qu'il allait essayer, il commença par changer de chaussettes."*
>
> Gide, *Les Faux-Monnayeurs.*

En 1920, il y a déjà longtemps que Gide porte sur le dandysme un regard amusé. D'un personnage vaniteux de *Paludes* (1895), il dit qu'il s'est fait faire "avec la peau d'un de ces tigres qu'il avait lui-même tués, une pelisse de mauvais goût qu'il portait même les jours chauds, et toujours toute grande ouverte". Le Lafcadio des *Caves du Vatican* (1914), formé à l'élégance et informé des bonnes adresses par un vieux marquis avunculaire, sait qu'on juge l'homme à ses chaussures. C'est à elles qu'il fait, avec les gants et la cravate, une place de choix dans sa liste d'achats somptuaires. La morale de Lafcadio ressortit au plus pur dandysme : "La malséance d'un vêtement était pour Lafcadio choquante autant que pour le calviniste un mensonge". Dans le train qui l'emporte vers Naples, il jouit pleinement d'un costume souple qui lui assure un parfait bien-être, et que Gide décrit avec précision jusqu'aux mocassins "taillés dans le même daim que les gants", et au rare chapeau de castor, qui risque un moment de permettre l'identification du criminel qu'il est. Et tous les personnages caricaturaux de cette sotie, Anthime-Armand Dubois l'invalide, Julius de Barigoul l'académicien, et le pauvre Fleurissoire, ont de ridicules problèmes de chapeau et de cravate.

Gide ne décrit jamais une toilette que si elle est matière à de comiques cas de conscience, ou au contraire à des raffinements de dandy; il récuse la description, qui gêne l'imagination du lecteur plus qu'elle ne la sert, ainsi qu'il est dit dans *les Faux-Monnayeurs* (1925), roman où l'on voit une lady et un romancier également dandys initier deux jeunes bourgeois à l'élégance : "Mes pensées sont toujours de la couleur de mon costume", déclare lady Lilian, qui, brodant sur un thème connu, explique : "Si les hommes sont aujourd'hui plus sérieux que les femmes, c'est qu'ils sont vêtus plus sombrement".

Gide, ennemi des cols durs et des couleurs tristes, a cultivé le dandysme, dans la dernière décennie du XIXe siècle, en compagnie de son ami Paul Valéry, grand admirateur d'*A rebours*. C'est Gide qui, dans son *Journal*, en 1929, nous livre certain aphorisme dandy du poète :

> Je me souviens que, tout jeune encore, Valéry me disait : "Si je souhaitais la fortune, ce serait pour pouvoir porter toujours et en quelque société ou circonstance que ce soit, le costume qui convient".

Pour Gide, ce mot du jeune homme annonce et explique l'homme qui dit en chaque circonstance "ce qu'il sied de dire, un peu plus et un peu autre que ce que l'on attend", et de l'écrivain "posant le mot qu'il faut".

Les *Cahiers* de Valéry révèleront d'autres pensées sur l'élégance conçue comme grâce et liberté, et parfaite adéquation au but cherché :

> *Elegantia.* — C'est liberté et économie traduites aux yeux — aisance, facilité dans les choses difficiles.
>
> Trouver sans avoir l'air d'avoir cherché — Porter (soutenir) sans avoir l'air de ressentir le poids, — Savoir, sans manifester que l'on a appris — Et en somme parvenir à supprimer l'apparence, sinon la réalité, du prix que les choses précieuses ont coûté. (1922)

ou encore :

L'élégance est la sensation du rendement — Un résultat est obtenu avec minimum d'efforts et de moyens et préservation et emploi *arbitraire* de l'énergie économisée — rendus sensibles. Sensation de pouvoir surabondant. De quoi sourire. (1942)

Enfin, en même temps qu'Alain, et dans la suite de Hegel et de Balzac, Valéry reconnaît le rôle du vêtement dans la création de l'homme social :

Il y a des vêtements psychologiques. Le monsieur n'est qu'accidentellement un homme. L'homme cache dans des étoffes tout ce qui empêche d'être un monsieur. Il n'y a pas de juge, de prêtre, de savant, de propriétaire tout nu. Il n'y aurait pas de mariage. (1918)

"Vêtu d'un complet marron, guêtré de beige, enfin d'une élégance qu'il imaginait spécifiquement anglaise."

François Mauriac, *Préséances*.

Chez les romanciers de l'entre-deux-guerres, la mode, avec un côté provincial et nouveau riche, se fait volontiers didactique. Le héros de Maurois dans *Climats* (1928), provincial initié à l'élégance par une première épouse, devient le sévère conseiller de la seconde; dans *l'Instinct du bonheur* (1934), Maurois se fait le premier biographe de Chanel, la terrible Mme Rosie du roman, qui invente le petit tailleur tout simple.

Mauriac transporte le siège du dandysme dans la capitale de l'anglomanie, le Bordeaux de *Préséances* (1921). Tous les Fils, interchangeables, habillés par le même tailleur local, Guarrigue, font néanmoins chaque année le pélerinage dandy à Londres, pour y placer leur vin et essayer un complet; et ils donnent une version caricaturale de la Saga des Forsyte, lorsqu'à la mort de l'un d'entre eux le corbillard traîne derrière lui, "comme une chenille luisante et noire, les deux cent vingt-sept chapeaux de soie du cercle *London and Westminster*. Et le chauvinisme critique de Mauriac nous vaut quelques jolies caricatures, comme celle de Percy-Larrousselle "les oreilles soutenant, le melon, et le monocle comme une cible". Et pour Thérèse Desqueyroux, la liberté enfin conquise, c'est Paris, rue de la Paix, à l'heure où sortent les ouvrières des maisons de couture : image sur laquelle se clôt le roman.

> *"... j'arrivais en habit, impeccable devant ces vergers de pruniers, en habit pour les saules. Elles apprenaient que l'habit comporte une pochette..."*
>
> Giraudoux, *Bella.*

Giraudoux ne pouvait être insensible au jeu et au symbolisme de la toilette. La découverte de l'élégance préside aux amours de Bella et du narrateur, qui joue près des petites Rebendart les mannequins de Doucet, les initiant aux secrets des chemises de soie, de la pochette et du bouton de col à bascule. Il les quitte aussi, dit-il, comme on quitte des mannequins, sans laisser d'adresse précise. Avec Giraudoux, le vêtement se spiritualise, devient signe et véhicule des sentiments. De l'identification de l'homme à son habit, Giraudoux tire des justifications désinvoltes qui font songer à Tinan et à Toulet, par exemple pour décrire le vieux gentilhomme Fontanges :

> Il était de ces gens dont on a l'impression de décrire l'âme en décrivant leurs vêtements. Décrivons-la : il avait un pantalon à petits carreaux noirs et blancs, une cravate noire lavallière, des souliers jaunes et des guêtres, un veston bordé de ganses.

D'être impeccable en toute circonstance procure au vieil homme son dernier réconfort : il s'habille de neuf pour l'enterrement de sa fille, et trouve un soulagement à revoir, un jour de Catherinettes, les boutiques *chic* où elle se fournissait, ainsi qu'à payer ses dettes couturières.

> *"Il entra chez le tailleur avec le même frémissement intime et lent que chez les filles."*
>
> Drieu La Rochelle.

L'élégance est pour "l'homme couvert de femmes"

une chose désirée et apprise. Gilles, dans le roman qui porte son nom (1939), arrivant en permission pendant la guerre de 1914, se fait immédiatement conduire rue de la Paix chez le chemisier Charvet, qui le reçoit lui-même; mais Gilles ignore les us et coutumes de la maison et choisit mal. Il rachète ses chaussures à un officier anglais, et sa tenue recherchée défie les règlements militaires. Rendu à la vie civile, le parvenu qu'il est unit dans un même désir des luxes qui pour lui ne se distinguent pas : l'or d'un beau mariage, les riches fourrures, le décor mondain du Bois. La réussite mondaine et amoureuse lui apparaissent, de manière très balzacienne, sous les espèces d'un smoking qu'il projette un instant d'offrir à son meilleur ami pour assurer sa carrière. Mais un goût voluptueux des beaux tissus et de l'élégance rachète les calculs de l'ambitieux et les naïvetés du parvenu.

"Fiat Mode, pereat Ars."

Max Ernst.

"L'habitude (la seule femme qui porte aujourd'hui un corset.)"

Aragon.

Le surréalisme, renversant les choses, accorde volontiers la profondeur à l'apparence; il devait s'intéresser à la mode, et même l'utiliser comme drapeau. Cet intérêt prend souvent la forme d'une révolte contre le costume traditionnel, la cravate par exemple, "ce bout d'étoffe, écrit Breton, qui doit rehausser d'un rien très attentif l'expression déjà idiote du veston à revers". Il y eut un moment où les surréalistes portèrent leurs vêtements à l'envers pour démontrer que "le surréel, c'est l'envers du réel". Toutefois le *Dictionnaire abrégé du surréalisme* donne à l'entrée *Élégance :* "L'élégance est un progrès" (Jarry), et retient le mot *mannequin* avec la phrase poétique de Crevel : "Sur le globe de l'œil, la grande mannequin glisse en robe de voie lactée". D'autres définitions relèvent de l'humour : "Le plastron est une sorte d'enfant qui pousse entre le sexe du chapeau et le sexe des souliers".

Les surréalistes sont attirés par les objets du *mundus muliebris,* souvent tels qu'ils se présentent dans les vitrines, mannequins, marottes de modistes, enseignes, affiches auxquelles les a sensibilisés Apollinaire, et qu'exalte à l'Exposition de 1925 la section *Arts des rues.* Breton est fasciné par une enseigne qu'il voit à un balcon de la rue de la Paix et qui lui inspire le titre d'un poème de *Mont-de-piété* (1919), *le Corset Mystère.* Très remarquable aussi la fascination exercée sur les surréalistes par le mannequin de cire qui frappait déjà Huysmans, tenu par Breton pour un pionnier du surréalisme. Huysmans décrit les torses décapités de la boutique du Professeur Lavigne, amazonier de l'Impératrice, rue Legendre; ils deviennent pour le romancier "le musée Curtius des seins"; il les trouve plus vivants que les "mornes statues de Vénus". La femme se double en effet de ce mannequin qui, dans la vitrine, excite le regard et le désir de l'homme. Ce n'est pas sans raison que la loi interdit de laisser en vitrine des mannequins nus. Après 1918, ces porte-manteaux deviennent de l'art, grâce à des sculptures en fer forgé et autres matières diversifiées : le mannequin cubiste, formé de deux planches, présente des modèles de Sonia Delaunay; Robert Couturier fait des mannequins géants sans visage, en terre rose, pour le pavillon de l'élégance de 1937 (cf., vers 1970, les figures à deux dimensions de Minaux); André Breton et Marcel Duchamp placent un mannequin à la vitrine de la Gotham Books Mart, librairie d'avant-garde new-yorkaise : une créature sans tête lisant, avec un petit tablier transparent. Dans *La Grande mannequin cherche et trouve sa peau,* Crevel dit le pouvoir de cette figure, et les sentiments œdipéens qu'elle fait naître.

Breton, de son côté, est fasciné par les défroques sans poids dont le corps s'est absenté, comme le gant de la visiteuse de *Nadja.* Dans le poème *Âge (Mont-de-piété)* il retrouve le thème romantique des vêtements qui attendent leur possesseur, et le représentent de façon dérisoire :

chemises caillées sur la chaise. Un chapeau de soie inaugure de reflets ma poursuite. Homme... Une glace te venge et vaincu me traite en habit ôté.

Breton dit avoir eu sa période Mode à l'époque où il connaît Marie Laurencin, qui lui donne l'idée de la beauté moderne, faite de laideur. Dans le troisième rêve d'un poème de *Clair de terre* passe Poiret, perdant en dansant son monocle qui se brise.

Le surréalisme, (et surtout Breton, Éluard, puis Aragon), a exalté la femme, a développé une sorte de culte à base d'astrologie et d'hermétisme. Tout le monde féminin est présent dans les poèmes de Breton, avec les noms magiques de tissus, — taffetas, velours, satin, moire — et le mot récurrent de *perle,* au sens propre ou pour dire le brillant d'une pierre, d'un poisson, d'un rail. Parfois la silhouette féminine est suggérée sous le vêtement; ainsi dans *Tournesol :*

... les seins de la belle inconnue
Dardés sous le crêpe des significations parfaites.

Et tout se fait tissu, bijou, broderie. L'Enfant triste des *Reptiles cambrioleurs* "mord le collier de larmes du rire"; le pré salé est "une robe brodée d'agneaux"; "la nuit, pour sortir, met ses bottines vernies", et inversement, passant de la mode au règne animal, les bottines pointues de la prostituée qui attend au bord du caniveau, devenues oiseaux, "y trempent l'ombre de leur bec".

"Tout dépend où l'on met cet absolu. Ce peut être dans l'amour, le costume ou la puissance, et vous avez Don Juan, Biron, Napoléon."

Aragon, *Aurélien.*

L'amoureux fou d'Elsa adore aussi le costume : "La toilette, ses détails infinis, j'en ai toujours chéri le spectacle", écrit-il; et il vante la "vertu du luxe" auquel il a été initié dès l'enfance et qu'il a retrouvé dans la compagnie de la millionnaire aux bijoux barbares et aux robes de haute couture Nancy Cunard. C'est en client des bonnes maisons que le romancier cite familièrement Charvet, Pile ou Hedrich and Key. Mais avant le donneur de bonnes adresses et le descripteur de robes *chic,* il y a eu en 1927 un poète surréaliste qui, se promenant dans le passage de l'Opéra avant qu'on ne l'éventre pour y faire passer le boulevard Haussmann, s'amuse du spectacle qu'offre la faune du lieu, artistes capillaires, Don Juan aux chaussures bicolores de film américain, marchande de mouchoirs en retard de dix ans sur la mode. Les vitrines attirent l'œil du Paysan de Paris sur les mannequins de cire, sur une bande herniaire *pour le dimanche.* Devant l'enseigne de *Vodable, Tailleur mondain,* il rêve et se prend à regretter qu'on ne distribue pas à la Cour d'Assises des programmes où serait écrit en italique :

A la cour comme à la ville
Monsieur LANDRU
Est habillé par le TAILLEUR MONDAIN

Dans ses promenades parisiennes, la rencontre des gloires statufiées en complet veston lui fait retrouver la vieille question de l'affreux habit noir, qu'il ne trouve pas si affreux puisqu'il reconnaît à ces messieurs en bronze la magie des statues d'Ephèse et d'Angkor!

Les romans d'Aragon abondent en descriptions de costumes, d'une précision documentaire qui sentirait le naturalisme attardé, si elle ne se justifiait par l'intérêt que le romancier et ses personnages portent aux beaux chiffons. *Les beaux quartiers* (1936) font revivre la mode 1912-1913, robes montantes, tuniques, chapeaux à aigrette, boas de plumes de coq, et la robe 1914, si étroite aux chevilles. *Aurélien* (1944), ressuscite les Années folles, bals costumés, bars, spectacles, et la mode du temps dans un milieu riche où la toilette occupe grandement les esprits et les loisirs. Aussi, pas un personnage, pas un comparse, qui ne soit à chaque entrée décrit avec son complet, sa cravate ou sa robe, ses perles, son chapeau. Un veuf avoue ne se rappeler de sa femme que ses robes. Tous les grands couturiers des années 1922-23 sont nommés, certains jouent même un rôle dans le roman : Poiret, dont Bérénice porte le modèle *Lotus,* assiste à une soirée; Chanel veut bien discuter avec Barbentane de la robe Danaé que portera sa femme au bal costumé du duc de Vermandois. Et sous le nom de Roussel, qui déjà habillait les élégantes des *beaux quartiers,* et qui ici, amateur de manuscrits, mécène du jeune surréaliste Paul Denis, a l'intention de léguer ses collections à la Ville de Paris, il est aisé de reconnaître Jacques Doucet.

Comme chez Morand, la mode est là avec ses décors (Lulli's, Bœuf sur le toit ou Casino), ses bonnes adresses, son mandarin-curaço et ses Lucky Strike, avec ses marionnettes aussi et ses personnages stéréotypés : l'homme qui a l'aisance des grands fauves, la femme qui a toujours la plus belle robe de la soirée, celle qui figure dans *Vogue,* celle qui s'habille toujours en noir, celle qui porte le gris comme personne, celle qui est assez célèbre pour refuser de suivre la mode.

La passion d'Aragon pour cette "buée d'élégance", pour cette "musique des diamants" fait fleurir sous sa plume la métaphore : l'ouest parisien, quartier de l'élégance, devient une grande et riche fourrure ornée de bouquets, et même les réverbères de l'est parisien, moins favorisé, lui paraissent être en costume de bal. Un médecin, dans *Les beaux quartiers,* utilise la métaphore vestimentaire pour une description anatomique, parlant de *double rang de perles* pour désigner l'astragale, de *fichu de grisette* ou de *schall de courtisane* pour désigner les muscles du dos. Fantaisie peut-être du carabin que fut Aragon sur le muscle appelé *couturier* parce que c'est lui qui permet de s'asseoir en tailleur.

"C'est un fait que le bal masqué démasque."
Jean Cocteau.

Pendant les Années folles, la littérature et le chiffon se sont souvent rencontrés dans ce lieu privilégié qu'est le bal costumé, souvent à thème littéraire. *Le Bal du comte d'Orgel* a immortalisé les soirées du comte de Beaumont, principal ordonnateur de ces fêtes dans son hôtel de la rue Masseran. Avant la guerre, il y avait déjà eu en 1909 un *Bal des livres* donné par Mme Adolphe Brisson, et le *Bal des 1002 Nuits* de Mme de Chabrillan en 1911. Après la guerre se succèdent : 1923, le *Grand bal des artistes travesti transcendental,* auquel assiste Tristan Tzara; la même année, moins moderne, le *Bal des Contes de Perrault;* 1926, le *Bal des histoires merveilleuses;* 1927, *Escale en Extrême-Orient* (Loti et ses personnages); 1928, le *Bal Proust;* 1929, le *Bal Noailles,* très littéraire aussi, où Paul Morand s'habille de couvertures de la NRF; 1939, in extremis (le 30 juin), le *Bal du Tricentenaire de Racine,* où Chanel est en Indifférent.

Ces fêtes requièrent les talents des grands couturiers. Erté (Romain de Tirtoff) qui a presque inventé chez Poiret (de 1912 à 1914), et plus tard dans les pages du *Harper's Bazaar,* la femme des Années folles, dessine les costumes du *Bal des Animaux* et du *Bal des Fleurs.* Le couturier est devenu roi avec Poiret le Magnifique qui donne lui aussi de somptueux bals costumés, et dont les trois péniches, Amours, Délices et Orgues, éblouissent les visiteurs de l'Exposition des Arts décoratifs (1925). Mondain, recevant et reçu, le couturier agrandit son empire. Poiret, le premier, ajoute au chiffon le parfum et demande à Dufy des dessins pour sa fabrique de tissus. Son Comité de défense de la haute couture fait songer à la Société des gens de lettres, et il s'entoure d'artistes, d'écrivains et de peintres. Sa sœur, grande couturière aussi, Mme Bongard, ouvre dès 1917 ses salons à de jeunes peintres d'avant-garde pour une exposition dont Apollinaire se fait l'écho.

Après la guerre, la rencontre de la littérature et de la mode n'a plus lieu par personnalités, tableaux ou gravures interposés. Elle est la rencontre du couturier, promu créateur et grand artiste, avec l'écrivain, l'un ou l'autre prenant l'initiative du rapprochement. En 1920, Yvonne Davidson accueille dans son salon de couture Anatole

France et Claude Farrère. *Fémina* crée un prix littéraire destiné à récompenser un romancier, et l'on voit éclore des revues à vocation tout ensemble littéraire et mondaine, où écrivent Henri de Régnier, Anna de Noailles, Colette, Cocteau, Louise de Vilmorin. Et les couturiers deviennent bibliophiles. Poiret fait collection de livres illustrés à exemplaire unique. Doucet embauche Breton et Aragon en 1921 comme bibliothécaires-conseillers artistiques, et Aragon s'engage à lui adresser en guise d'autographes un certain nombre de lettres par mois (ce qu'il ne fit pas!). Il faut un scandale surréaliste deux ans plus tard pour que Doucet se prive des services des deux amis. Maurice Sachs, présenté par Cocteau à Chanel, se voit chargé de lui composer une bibliothèque, et jouit ainsi de ce que Bernard Grasset appelle "les pensions de la Grande Mademoiselle".

Jusqu'alors les couturiers s'étaient inspirés des écrivains ou leur avaient rendu hommage, par exemple en créant, comme avait fait Doucet en 1906, une cape *Hortensias bleus* en l'honneur du recueil poétique de Robert de Montesquiou. Ils ne cesseront de le faire. Mais l'initiative de la collaboration vient souvent maintenant des poètes. Max Jacob se flatte d'avoir été "guide en superstition chez Poiret pour ce qui est des couleurs qui portent bonheur". Soupault, Tzara, Deltheil dédient des poèmes aux robes-poèmes triangulaires de Sonia Delaunay. Aragon crée pour Schiaparelli le collier "cachet d'aspirine"; échange de bons procédés, Schiaparelli crée, en hommage au surréalisme, des gants de daim noir dont les doigts se terminent par des griffes dorées.

L'amitié a souvent lié écrivains et couturiers. Max Jacob, ami de Chanel, la consulte sur ses chemises et lui conseille de créer une coiffure comme celle qu'il a vue au Christ dans une de ses apparitions. Cocteau, Reverdy, Morand, d'autres encore, sont plus ou moins intimement liés avec Chanel. Morand lui dédie en 1923 *Fermé la nuit,* qui est tout plein de robes, et recueille ses propos en vue d'un livre sur *l'Allure Chanel.* Caroline Reboux, la grande modiste, s'entoure d'écrivains avant que son fils Paul ne prenne la plume pour ses célèbres pastiches. Et Colette, amie de Lucien Lelong et de Paul Poiret, joue en compagnie de ce dernier, pendant un mois, *la Vagabonde.*

Et les couturiers se mettent de temps en temps à poser les ciseaux pour prendre la plume à leur tour. Worth le fils a donné l'exemple en publiant en Amérique ses souvenirs (1922). En 1928, Poiret publie chez Jonquière, à trois cents exemplaires, *Popolôrepos, morceaux choisis par un imbécile et illustrés par un autre,* 35 calligrammes humoristiques, illustrés en regard par des compositions aquarellés de Pierre Fau. Puis, en 1930, tout à fait *au repos* cette fois, après que son conseil d'administration l'a poliment remercié, Poiret écrit *En habillant l'époque,* livre de souvenirs, contenant cette philosophie de la mode qu'il a enseignée, lors d'une tournée de conférences, à ses auditrices de Chicago : à ces néophytes trop dociles et moutonnières, il a tenté d'expliquer que l'esprit de la mode est celui de la contradiction et de la provocation. Et sans crainte de démythifier sa réputation, il leur a révélé que s'il passe pour bon prophète dans sa partie, c'est que tout excès d'une mode en annonce la fin.

Amie d'écrivains, Chanel n'en méprise pas moins hautement la "poésie couturière", comme elle dit, dont les poètes se mettent à entourer la robe. Elle refuse de donner à ses modèles des noms poétiques et appelle son célèbre parfum, non pas à la manière de Poiret, créateur d'un *Toute la forêt,* mais tout simplement *N° 5.* Toutefois elle n'échappe pas complètement aux sirènes de la littérature : en 1931, croyant que son laconisme célèbre fera merveille une fois imprimé, elle songe à publier sous la griffe Chanel des aphorismes qui doivent quelque chose à son ami Reverdy. Elle donnera des échantillons de son talent en 1947 à *Vogue.* Et, en 1951, avant de reprendre en main sa maison de la rue Cambon, elle commence, avec André Fraigneau, des mémoires-interviews vite abandonnés. Cocteau lui reconnaissait pourtant le style très vif des vrais mémorialistes...

Deux autres grandes couturières de l'entre-deux-guerres écriront plus tard : Maggy Rouff, en 1942, une *Philosophie de l'élégance;* Elsa Schiaparelli, en 1954, *Shocking,* du nom de ce rose indien que Poiret trouvait ignoble, et qu'elle affectionnait. La philosophie de Maggy Rouff s'exprime en aphorismes qui viennent tout droit du *Traité de la vie élégante,* soit que l'auteur ait connu le texte de Balzac, soit que son métier de couturière lui fasse retrouver les vérités balzaciennes, leur apportant du même coup le poids d'une expérience. Première règle de l'élégance, *ne pas mentir :* accord complet entre l'apparence et le fond, et, pour que l'ensemble soit réussi, des dessous impeccables. Comme Balzac, Maggy Rouff fonde l'élégance sur l'honnêteté, et sur la connaissance de soi-même. Elle sait aussi que l'art doit arriver au naturel. Cette morale couturière s'assortit de quelques roueries non balzaciennes, qui ne pouvaient venir que d'une femme : "Il vient un moment où il faut s'habiller plus jeune pour le paraître encore. Tout de suite après, il convient de s'habiller moins jeune pour le paraître plus". Ou cet *axiome définitif* qu'elle conseille à ses lectrices de ne jamais oublier : "Une femme s'habille pour les hommes et contre les femmes".

Schiaparelli ne prétend pas à la philosophie, mais procède aussi par axiomes et commandements (douze) qui ne vont pas sans paradoxe et humour :

9 Elles devront acheter peu, et seulement ce qu'il y a de mieux ou de moins cher.
10 Ne jamais ajuster une robe à leur corps; mais entraîner leur corps à aller avec la robe.
12 Et puis, elles doivent régler leurs factures.

"Les couturiers ne sont-ils pas des poètes qui écrivent d'année en année, de strophe en strophe, le chant de gloire du corps féminin?".

Roland Barthes, *Erté.*

En toute occasion la haute couture flirte avec la littérature, le théâtre, la poésie. Les gravures de la *Gazette du bon ton,* représentant des robes de Poiret, se légendent de textes qui suggèrent quelque scénette : *C'est moi, je vous rejoins; Au revoir, mon amour; Bon appétit, madame.* La réclame emprunte des séductions à la poésie : le créateur des parfums Lancôme suggère le charme de *Tropiques* en invitant sa lectrice à goûter en imagination le luxe baudelairien d'une ombre fraîche et parfumée, dans un port lointain.

De leur côté, ceux et celles dont le métier est d'écrire continuent à noter combien leur technique a de points communs avec celle du couturier ou de la modiste. Dans *Noblesse de robe,* qui, sous des pseudonymes, met en scène Chanel et Caroline Reboux, la princesse Bibesco dit de la cliente des grands couturiers sachant vraiment s'habiller qu'elle "veut sa robe comme Mme de La Fayette voulait son style". Elle s'explique : "L'amie du La Rochefoucauld des *Maximes* disait, lorsqu'elle arrangeait son roman : "un mot enlevé, un sol; deux mots enlevés, dix sols". L'élégante, comme l'auteur de *la Princesse de Clèves,* n'arrive au style transparent qu'en élaguant et simplifiant. Marthe Bibesco est frappée aussi par la technique de la grande modiste, qu'elle voit créer un chapeau sur la tête de sa cliente et qui ne cesse de rogner les bords de la *forme* jusqu'à en faire un tout petit feutre nu, pour arriver au *chic* et à l'expression. Là, l'auteur de *Noblesse de robe* ne cite pas d'homologue littéraire, mais on songe à Valéry disant que le poème se fait comme la cigarette que roule lui-même le fumeur : il la défait, il la défait, et à la fin elle se fait.

Pour dire l'importance qu'a prise en son temps la haute mode, la princesse Bibesco retrouve l'imagerie de Zola : la maison de couture est *une église,* le défilé de collection *une messe,* le salon d'essayage *un confessionnal.* Quant au couturier, reconnu comme un égal par les écrivains et les gens du monde, tout-puissant collaborateur du dramaturge et du cinéaste, il règne sur les Années folles. Et encore plus la grande couturière, qui accroît alors un empire que les hommes lui avaient interdit puis contesté pendant des siècles, mais que l'*Annuaire du commerce* 1900 lui a déjà reconnu d'une manière éclatante, puisqu'il range sous la seule rubrique *Couturières* les illustres et masculins Doucet, Worth et Redfern. Et ce que Jules Renard nommait encore dans son *Journal,* en 1901, *répétition des couturiers* se dit après la guerre, comme maintenant, *répétition des couturières.* C'est bien en effet entre le théâtre et les couturières que se précise alors la rencontre des Lettres et de la Mode. Maurice Sachs en 1926 s'amuse à les voir échanger leurs expressions : "On fait maintenant des *répétitions générales* chez les couturières, et l'on va *aux couturières,* dans les théâtres, la veille de la générale". Et il illustre ailleurs ce rapprochement en chassé-croisé, évoquant la couturière, le jour de sa collection, "cachée dans un coin d'escalier comme l'auteur au fond de sa baignoire" (on a reconnu Chanel), et les mannequins, actrices de cette *générale,* faisant au passage une sorte de révérence à la créatrice de leur rôle.

12

Le Temps des exégètes

"Le commencement de toute sagesse est de regarder fixement les vêtements jusqu'à ce qu'ils deviennent transparents".

Carlyle.

"C'était beau, mais emblématique de quoi (s'il est vrai, comme disent les poètes, qu'une robe veuille dire quelque chose)?".

Mallarmé.

Ce n'est pastd'hier que les philosophes se sont intéressés à la mode et au vêtement : "On voudrait rire de la mode, écrit Alain dans son *Système des Beaux-Arts,* mais la mode est quelque chose de très sérieux". Il pense que l'homme ne devient intelligible, et même intelligent, qu'une fois habillé : le vêtement donne de l'importance au visage, transforme l'individu en son propre portrait. Et seule la femme qui s'habille se connaît. Deux de ses pensées invitent l'un et l'autre sexe à faire toilette : "L'homme nu est frénétique"; et, s'inscrivant dans la ligne de Baudelaire, qui voyait un sentiment désintéressé naître chez l'homme à la vue d'une femme savamment habillée : "Les sentiments se développent peu, et toujours en sauvagerie, à l'égard d'une femme qui n'a qu'un costume".

Depuis quelque quarante ans, la mode, mise en question comme le vêtement, comme l'homme, comme la langue, comme toute chose, est en partie tombée aux mains des *écrivants* des sciences humaines, qui ont essayé de la comprendre et de l'expliquer. Étude justifiée par l'ampleur d'un phénomène qu'ils ont noté toujours et partout, dans toutes les civilisations et sur les cinq continents. Les ethnologues ont révélé que tatouages, scarifications et bijoux étaient des vêtements à part entière, ils ont détruit la légende du primitif nu, montré la priorité de la fonction parure sur la fonction protection ou pudeur, et nous ont fait prendre conscience que notre bronzage de plage était un vêtement aussi. Les archéologues ont apporté de l'eau au moulin des ethnologues en découvrant le *kaunakès* de fourrure de Mari, et il n'est pas jusqu'à de savants botanistes qui n'aient voulu donner au vêtement et à la coquetterie leurs lettres de noblesse, fondant scientifiquement la métaphore femme-fleur des poètes en révélant qu'il y a des millions d'années l'orchidée "savait déjà combien est grand le rôle du maquillage et du vêtement dans la stratégie de la séduction" (J.-M. Pelt).

Scientifiques, historiens, économistes, disculpent la mode du vieux reproche de caprice et d'inconséquence. Retrouvant Baudelaire, mais par une autre démarche, George H. Darwin étend aux vêtements les théories de son oncle Charles sur le développement biologique, et voit dans la *pièce* du costume un organisme, dans le *système complet* l'équivalent de l'espèce. L'arbitraire de la mode succombe devant la loi des cycles harmonieux qui commandent le passage de la jupe large à la jupe étroite, de la taille haute à la taille basse, et qui relèguent les mouvements de mode saisonniers au rang d'épiphénomènes. On s'aperçoit que les lois somptuaires ne répondaient pas aux sévérités des moralistes et à l'égoïste exclusivisme des nantis, mais qu'elles avaient pour but d'empêcher l'immobilisation de l'or et de l'argent sur des pourpoints brodés (en attendant le bas de laine!), et la fuite des capitaux à l'étranger pour l'achat de matières précieuses. On se rend compte qu'à telle époque la vogue du bleu ne traduisait pas seulement quelque mystique aspiration à une céleste éternité, mais l'enrichissement de la Gascogne qui fabriquait du pastel.

Quant aux sociologues, ils innocentent les coquettes qui renouvellent leur garde-robe à chaque saison, en retrouvant dans ce moderne gaspillage les consommations ostentatoires et magiques, le très ancien potlach qui s'oppose à ce que Barthes appelle "le temps lourd de l'usure". D'accord avec les ethnologues et les psychologues, ils ajoutent aux fonctions classiques du vêtement celles de communication, d'expansion, d'information sexuelle. Ils exaltent la mode comme une fête, mais ils nomment aussi les maladies qu'engendre la mode : le fétichisme, la folie de l'arbitraire, la rupture avec le passé, la perte de l'identité, la corruption de la rationalité; ils diagnostiquent l'anxiété et le caractère vulnérable de l'individu qui se déguise pour mimer son adaptation au groupe de référence; le continuel besoin de nouveauté et d'insolite qui est caractéristique des démocraties, comme l'avait déjà vu Tocqueville dans les années 1830.

Entrant avec les sociologues dans le jeu explicatif, linguistes et sémiologues devinent dans la mode un beau champ d'application des théories saussuriennes : le vêtement sera le *signifiant* du *signifié* qu'est le corps. En 1948, Greimas prélude à une carrière de linguiste de pointe en décrivant dans une thèse traditionnelle le vocabulaire de la mode en 1830, tel qu'on le trouve dans les journaux de mode l'année. C'est aussi sur une étude de cette sorte de journaux, mais de son temps, que Barthes fondera vingt ans plus tard son *Système de la mode*. Laissant de côté l'aspect technique et *iconique* de la mode, il s'attache à l'expression verbale, démonte la rhétorique creuse de ceux qui parlent de la mode, qui donnent de l'importance à l'accessoire, au "presque rien", et juxtaposent le sérieux et le futile. La langue qu'il dénonce est celle du chroniqueur, qui passera à la vendeuse. Barthes n'est pas descendu jusque-là et ignore "la petite robe toute bête'', *ultima ratio* de la vendeuse dans les années où il écrivait son *Système de la mode.*

Avant d'écrire cet ouvrage, dans un article de 1957 intitulé *Histoire et sociologie du vêtement,* Barthes avait rhabillé de façon moderne la vieille opposition *se couvrir* (ou *se vêtir*) / *s'habiller*. Pour lui, habillement = parole; costume = langue; seul, le costume concerne la mode. Et, dans cette langue qu'est le costume, Barthes retrouve une *valeur,* un modèle social, ''une image standardisée des conduites collectives attendues'' qui en fait réellement un *signifiant.* Dix ans après le *Système de la mode,* utilisant une découverte des historiens de la mode, à savoir que les formes changent d'une manière régulière à peu près tous les cinquante ans, Barthes récuse l'impression de diversité et de créativité que donne la mode. Il récuse aussi la fonctionnalité si souvent mise en avant par les chroniqueurs de mode, et qui est imaginaire. La mode n'est pour le sémiologue qu'un système de signes vides : le vêtement de mode signifie sans cesse, mais il ne signifie rien. Par ce néant même, la parenté de la mode et de la littérature se trouve une fois de plus éclairée, d'une façon nouvelle : quand elle refuse la fonction, la mode se comporte comme la littérature.

En 1973, sa présentation de l'alphabet composé par Erté en 1927 lui permet de reprendre le parallèle : les modernes lettrines du grand styliste dessinent en effet une silhouette de femme saisie dans des attitudes diverses et prolongée, emphatisée par d'immenses coiffures, des voiles, des traînes. Or la silhouette, produit essentiellement graphique, qui rend le corps abstrait et intelligible, est déjà pour Barthes une lettre en puissance. Ce qui le frappe aussi dans ces lettres, c'est qu'Erté inverse le rapport corps / vêtement, tel que les philosophes l'entendaient depuis Hegel. C'est le vêtement qu'Erté rend premier et sensible; il se prolonge en un corps signifiant, ce qui donne une femme ''entièrement socialisée par sa parure, parure obstinément corporéifiée par le contour de la femme''. Et l'on a la Femme-vêtement, mixte indissociable, dont les mannequins vivants fournissent aussi une bonne image, et la cover-girl dont le sémiologue rappelle pour finir qu'elle est un mauvais objet de fantasme car elle est "tout occupée à se constituer en signe", un signe entre d'autres dans le "système général de signes qui nous rend notre monde intelligible, c'est-à-dire vivable".

Les couturiers, marchant sur les traces de Poiret, de Maggy Rouff et d'Elsa Schiaparelli, entendent bien expliquer aussi eux-mêmes ce qu'est la mode. Et ils parlent, et ils écrivent. Découverte personnelle ou lecture des bons auteurs? Balmain se référait déjà à l'*Eupalinos* de Valéry pour définir la couture comme "l'architecture du mouvement". Plus récemment, Castelbajac dit qu'il fabrique ses robes comme on bâtissait les cathédrales au Moyen-Âge, ce qui a peut-être donné l'idée au Comité d'Art sacré de lui commander des modèles de chasuble haute couture ainsi qu'à Courrèges (il y a des précédents : l'abbé Mugnier parle dans ses *Mémoires* d'un protonotaire apostolique qui s'habillait chez Worth). Un jeune créateur, Jean-Marc Sinan, choisit de "montrer que la simplicité est un luxe" ("un luxe de simplicité", disait Balzac). Guy Laroche annonce des *Mémoires de robes.* Yves Saint-Laurent, présentant sa collection de l'hiver 1986-1987, cite un poème de Breton. Courrèges s'offre le luxe de renier la mode, le chic et l'élégance pour leur préférer, en quoi il a bien raison, le *style,* qu'il définit "une synthèse technique, fonctionnelle et esthétique d'une époque". Ainsi Proust s'amusait-il de retrouver le style d'une époque jusque dans les dessins dont s'ornaient les actions d'une compagnie de chemin de fer. Chanel, qui détestait les allusions historiques et littéraires dans le chiffon, est bien obligée d'entrer dans la danse de façon posthume : "Chanel n'est plus une mode, décide un journaliste, c'est devenu une philosophie", — comme si la mode devenue consciente n'avait plus besoin d'exégètes pour lui trouver un sens. Et la speakerine présentatrice d'une grande manifestation de mode cite d'entrée de jeu, et sans référence, un aphorisme du *Traité de la vie élégante.*

C'est que la couture, comme tout un chacun, entend bien avoir droit, elle aussi, à ce qui, en perdant son sens et ses critères, a gardé le nom de *culture*. En fait de culture, c'est surtout la peinture qui a inspiré la mode, à la faveur des grandes expositions. Celle des tapisseries médiévales en 1947 avait fait prévaloir, une saison, les teintes fondues; dix ans plus tard, après une expositon du musée Cernushi, l'influence japonaise s'est fait un moment sentir sur la mode. La découverte par le public du musée Gustave Moreau, qui n'était connu que des surréalistes, des étrangers et de quelques amateurs, a été récemment à l'origine, dans quelques collections, de robes brodées de pierreries pour modernes Théodoras ou Salomés.

Quant à la culture littéraire des couturiers, elle a trouvé à s'exprimer dans les bals costumés donnés à Venise ou à Paris par des milliardaires ou des créateurs. Proust a encore récemment excité l'imagination d'invités qui croyaient pouvoir se reconnaître dans les personnages mondains de la *Recherche* et s'identifier complètement à eux pour une nuit. Un bal qui s'annonçait seulement comme "riche, célèbre, superficiel et mondain", sans prétention littéraire, s'est peuplé de personnages de roman. Et le bal n'est pas seul à donner un corps et un costume aux créatures de papier des romanciers; pour paraître à l'écran, grand ou petit, ces personnages réclament aussi le talent et la culture du couturier-costumier : d'où des résurrections en général savamment historiques, mais où les individualités se noient dans la mode d'un temps, et dont la somptuosité n'arrive pas à cacher à tout le monde qu'il ne reste plus alors d'un Balzac, par exemple, que ce qu'il a commun avec Eugène Sue.

Cinéma, littérature, influent sur la mode; une bande dessinée peuple la rue de Barbarellas. Parfois les collections se contentent d'emprunter le nom d'un auteur ou de plusieurs : une marque de bas en 1952 se met sous le patronnage d'une dizaine de romanciers, de Dumas à Colette; en 1984, un couturier place sa collection sous le nom d'Orwell. Les tee-shirts se font page d'écriture ou tableau noir. A un tout autre niveau, Yves Saint-Laurent s'inspire des poètes pour sa collection de l'Hiver 1980-1981. Sur une veste de velours bleu nuit rehaussée de strass, d'améthyste et d'or s'ouvrent, à la hauteur des seins, de grands yeux bleus maquillés de mauve, à long cils de jais et sourcils d'or. Une *veste Jean Cocteau* de satin rose ornée de verre et de jais porte brodés des mots du poème *Batterie* : "Soleil / moi / je suis noir dedans / rose dehors".

Un *ensemble Apollinaire* se compose d'un paletot de velours noir et d'une robe également de velours noir et améthyste, à manches énormes, dont le dos s'orne du "Tout / Terriblement", par quoi se termine le calligramme en forme de cheval.

Outre les philosophes et les couturiers, il existe toujours des romancières qui décrivent, en femmes qui connaissent les détours du sérail Haute Couture, les robes de leurs héroïnes. Louise de Vilmorin nous ouvre les portes d'un monde où des jeunes femmes, provinciales ou étrangères, provisoirement sans mari, n'ont autre chose à faire que de se choisir des robes avec des cousines ou amies parisiennes. Ces héroïnes, qui semblent hésiter entre Giraudoux et Radiguet, s'habillent de linon blanc et de lingerie empesée, se déguisent en jeunes filles du temps jadis ou en japonaises, et trouvent la fourrure triste; mais, devenues mondaines à l'occasion, elles s'en remettent à Antonio del Castillo pour se glisser dans un fourreau noir très collant et très décolleté ceinturé de satin rouge. Un mari banquier enrichit la littérature de mode d'un aphorisme : "L'élégance n'est pas un confort, mais un réconfort". La Jet Society se réunit chez Françoise Sagan, oisifs, starlettes et producteurs, chefs d'orchestre mondains et divas, mannequins et photographes de *Vogue,* tout le monde habillé, selon son sexe, par Charvet, Cerruti, Ungaro et Chanel. Et même les jeunes filles qui en ont eu assez un jour d'être *rangées* ne dédaignent pas de rapporter dans leurs

Mémoires les propos sur le chiffon que tiennent leurs parentes et amies.

Chez les écrivains de l'après-guerre, qui vivent à l'ombre du clocher de Saint-Germain-des-Prés, la mode se prête plutôt aux jeux de la fantaisie et de la rhétorique amusante. Boris Vian traite le chiffon comme la cuisine ou les instruments plus ou moins sophistiqués, disant d'ailleurs volontiers de la femme habillée : elle *comportait* (ou elle *avait réussi à se munir de)* telle pièce de toilette. Ces vêtements, l'imagination du romancier les confectionne dans des tissus oubliés, qui semblent inventés, calmande ou godon, ou dans des matières insolites, fer forgé, velours marron à côtes d'ivoire, ou léopard *benzolé.* La Zazie de Queneau, en veine d'élégance, se parfume à *Bar bouze* de chez Fior et s'achète aux surplus américains des Puces des *bloudjinnzes* qui ont le mérite de réconcilier l'orthographe et la prononciation. Et sa voisine Madeleine, qui va se fiancer, à défaut de la robe "blanc moyen" qui s'impose "avec une touche de virginal argenté", se contenterait d'un "tailleur deux pièces salle de bains avec chemisier porte-jarretelles cuisine", version couturière humoristique des deux mètres carrés où les décorateurs des années cinquante se vantaient, à longueur d'hebdomadaires modestes, de faire tenir toutes les ressources modernes du sanitaire et de la kitchenette de charme.

Georges Pérec s'amuse aussi, inventant qu'il n'est, à un moment donné, qu'une seule chose à la mode, les chaussures de basket par exemple; puis ce serait le tour des bottes d'égoutier. La mode se répartirait ainsi dans l'espace, et non plus dans le temps, pour redonner quelque intérêt exotique aux voyages. Pérec est le premier à avoir dit, dans *les Choses* (1965), la société de consommation vécue par des jeunes gens d'avant 1968, à qui le peu de culture puisée dans une année de Faculté a trouvé le moyen de jouer des tours. Leur snobisme naïf d'apprentis-dandys issus de classes très moyennes doit tout à l'image du couple que propose Mme Express : Jérôme et Sylvie connaissent la hiérarchie des chaussures, — des Church et des Weston aux Lobb; ils ne jurent que par le lambswool, le handspun et le handwoven; ils n'admettent que le canapé Chesterfield. Le rêve matérialiste programmé par les mass-media pour faire vendre du confort, du standing et des loisirs trouve en eux des victimes heureuses, sans distance critique, qui ne conjuguent que le verbe *avoir* au lieu du verbe *être*. *La Vie mode d'emploi* (1978), dans son fabuleux inventaire d'un grand immeuble parisien qui a cent ans, contient une collection de photographies anciennes qui composent une véritable encyclopédie du costume jouant sur les deux dimensions du temps et de l'espace, les locataires paraissant dans leur tenue respective de millionnaire Anglais globe-trotter, de sportif, d'industriel, de militaire, d'artiste, de femme d'affaires etc. Du même Pérec, *Je me souviens* (1978) est un inventaire de ce qu'a retenu de l'actualité un Parisien qui avait dix ans en 1946; or la mode lui a laissé pas mal de souvenirs : complet de soie bleu avec une doublure rouge que portait Lester Young au club Saint-Germain, mode des chemises noires, du duffle-coat, des cravates de soie tricotée ou du lacet qui en tint lieu un temps, sac Hermès à petit cadenas, bonnet de fourrure à la David Crockett, foulard en soie de parachute, pantalons à revers; et que l'une des premières décisions que prit le général de Gaulle à son arrivée au pouvoir fut de supprimer, dans les vestes d'uniforme, la ceinture!

Le *nouveau roman*, qui ne veut que décrire, ne décrit pas beaucoup le vêtement, dont il ne fait plus que l'attribut distinctif, signalétique d'un personnage. Robbe-Grillet utilise le vêtement comme l'a fait le cinéma à ses débuts — et encore maintenant le film policier et le roman-photo — pour imposer l'identité d'un personnage, son rôle : l'homme au pardessus noir, le type au ciré noir, l'homme en blouse blanche, l'homme au short colonial, la jeune fille en blouse d'infirmière, la promeneuse en fourreau noir. Telle petite robe claire, à col droit, très collante, ne prend d'importance que par le regard du jaloux qui guette. Comme les surréalistes, Robbe-Grillet semble fasciné par les mannequins dans leur vitrine, ou dans l'atelier de couture, multipliés par les miroirs. Il affectionne le déshabillé érotique.

"Le mannequin est une reine qui abdique tous les soirs."

Francis de Miomandre, *La Mode* (1927).

Le vêtement que Pérec retrouvait souvent dans la photo rétro, Félicien Marceau le remarque dans la photo de mode, ou dans l'affiche touristique des Bahamas, qui fait surgir immense, sur tous les murs de la Ville, Creezy le mannequin, en bikini, chaussée de skis nautiques; et la séance de photographies publicitaires illustre à la fois, dans *Creezy,* la simultanéité et l'accélération de la mode, liées à la rapidité des voyages aériens : il y a toujours quelque part dans le monde du soleil pour se bronzer, et l'on sait que la mode, en ses créations, vit son été lorsqu'il neige, et essaie ses fourrures quand celles des clientes sont à l'abri dans la housse noire ou la chambre froide. Sous l'œil de la caméra, Creezy, d'un aller et retour de fermeture-éclair, passe du tailleur au maillot de bain, de la robe du soir à la combinaison de plongée, sur fond d'obélisque parisien, de fontaine romaine ou de Pyramide.

Le mannequin est devenu un acteur important dans la comédie de la mode. Recruté dans les cinq continents, il apporte avec lui son exotisme et l'impose au modéliste parisien. Et, malgré le verdict de Barthes, on continue de chercher en lui l'être vivant et individuel qui se cache, peut-être, derrière les attitudes imposées. Philippe Sollers, après avoir trouvé "bête" la photo de mode, a mis sa plume au service de l'une d'elles, commentant pour le journal *Marie-Claire* l'image d'un mannequin habillé par Georges Reich. Sollers a cru en effet déceler que ce mannequin n'était pas dupe de son rôle, mais jugeait au contraire celui que jouent les autres, ses spectateurs : "Le temps passe, écrit Sollers; les phénomènes passent; la mode est faite pour passer, mais Martine a décidé de nous faire sentir l'intérieur sombre et stable du passage des apparences''. Cette apparence ne cesse d'intéresser Sollers romancier. Ses *Femmes,* selon leur origine, se montrent en robe noire, rouge ou verte, en tailleur noir, et l'auteur se fait fort de décomposer en un instant cette fascinante ou dérisoire apparence féminine faite de tissus, de métaux, de cuirs. Passionné par son sujet, il prend fait et cause contre la disparition des dessous, contre le collant qui les désacralise et supprime, dit-il, la distinction entre dedans et dehors. Morte la séduction, morte du coup la culture, la conversation et tout. Mais vive le nylon, cette révolution, les déodorants, démaquillants et bains moussants! ''Nous tenons là, conclut-il, le véritable progrès''.

''Se costumer n'est pas s'habiller.''

Whistler.

''... les dames au cimetière des chiens, à fourrure en poil végétal, à boas en plumes de palmier, à chaussures en cuir de bananes.''

Giraudoux, *Suzanne et le Pacifique.*

Si mon but était d'être exhaustive, je craindrais d'oublier maint autre romancier qui, *à l'heure où l'on imprime,* selon la formule, écrivent de chiffons. Mais je ne crois pas que l'on rencontre désormais beaucoup d'écrivains dont la phrase se moule avec délices sur la ligne d'une robe. Ni beaucoup de poètes séduits par les modernes froufrous, et que les modes fassent rêver ''aux marées, aux migrations, aux escaliers de l'Histoire'', comme il arrivait à Léon-Paul Fargue (*De la mode,* 1945), qui chantait encore

Les fleurs que nous aimons sont de petites femmes,
Les femmes sont de grandes fleurs.

Je fais le pari qu'il n'y en a guère, car la mode d'aujourd'hui, si agréable à porter, me paraît offrir peu de charmes à un poète. La toilette qui a enchanté nos auteurs du XIXᵉ siècle, et du XXᵉ à ses débuts, n'est plus en effet qu'à l'état de ruine, abolies les pièces maîtresses de l'édifice, chapeau, gant, ombrelle, voilette, manchon, éventail, bouquet, tournure et traîne; et reléguées les plumes, comme l'a vu Barthes, — pour être otées, — dans le strip-tease. Quelques-unes de ces choses ressuscitent parfois pour une saison, mais ne sont plus senties, même par qui les porte, que comme déguisement. Restent les bas fins : peut-être quelque poète de salon a-t-il rêvé cet hiver sur les signes japonisants dont se mouchetait leur voile! Reste la chaussure, mais qui a perdu toute importance poétique ou érotique, depuis que la beauté du pied n'est plus sentie et ne suscite plus de compliments, sinon de podologues esthètes et de mallarméens en vacances songeant sur le sable à des pieds qui "calmeraient la mer". Et puis la mode a rompu son alliance d'un siècle avec la Nature, qui si longtemps la rendit poétique. Les couturiers ont rendu aux fleuristes les bleuets, les camélias, le catleya et la violette, fleurs littéraires. La baleine ni le lophophore ne se sacrifient plus pour fournir à la Parisienne son corset, son cold-cream et la plume de son chapeau. Et les visons évoquent moins, pour l'imagination, les lointaines forêts du Nord, depuis qu'ils ont accepté de se reproduire en clapier.

Est-ce à dire que les écrivains ont cessé de s'intéresser à la toilette parce qu'elle ne donnait plus à rêver? Est-ce tout bonnement que la mode est morte, comme l'annoncent certains de ses historiens, pour avoir cessé de s'identifier à l'élégance, et même au *chic,* pour n'être plus que le *look ?* Dès 1956, Cocteau voyait la mode, qui suppose l'obéissance, menacée par un esprit anarchiste dont il trouvait l'équivalent en littérature; ce qui ne l'empêchait pas d'applaudir à cet anarchisme qu'il espérait créateur : "Mais s'il favorise le génie, les trouvailles et l'électricité qui pétille aux pointes, alors vive le désordre!" Edmonde Charles-Roux fait remonter la mort de la mode à 1940, "année charnière qui a transformé le visage de l'Europe, ses rapports entre les sociétés, celle où l'esprit élitiste de la haute couture est véritablement mort''. Peut-être même avant cette date, la reine des couturières, dont Ed. Charles-Roux a écrit la biographie, avait-elle porté le premier coup à la haute mode, dont elle s'était fait un empire, en privilégiant la fonctionnalité du vêtement, amazone ou tailleur, en inventant ce que son collègue, le prodigue Poiret, nommait de la ''misère de luxe'', en ne voyant aucun inconvénient à ce qu'on la copie et qu'on vulgarise ses modèles.

L'élitisme, à coup sûr, a cessé de s'afficher en laissant mourir certain superlatif relatif qu'aimaient les revues de mode de l'entre-deux-guerres : les femmes ''la mieux habillée'' (de France, d'Europe ou du monde) n'ont pas longtemps survécu à la seconde guerre mondiale, ou sont passées de l'autre côté du décor, à la tête de quelque boutique à laquelle leur nom donnait du prestige. Puis la mode s'est atomisée en étendant son champ d'action; le couturier *griffe* désormais tout et n'importe quoi, des réfrigérateurs ou des cigarettes; mais il a perdu son autorité en même temps que disparaissaient les critères sociaux et esthétiques sur lesquels elle se fondait. La mode a explosé de toutes parts, hors de France, et, à Paris, hors de l'ancien quadrilatère sacré de la *Rive droite*. On s'habille n'importe où et n'importe comment, à l'aide du prêt-à-porter, et de soldes où s'est d'ailleurs reconstituée une hiérarchie. La mode navigue ainsi entre deux écueils mortels : le premier consiste dans une libéralisation complète du vêtement qui, avec la disparition de ce qui subsiste du sens du ridicule, mènerait jusqu'à ses dernières conséquences l'effet du vieux décret pris par la Convention. Le second est le vieil uniforme des utopistes, costume Mao, Jean, ou cette combinaison gris métallique, unisex, unicolore et anti-radiations qu'on voit dans les films d'anticipation, portée par des ingénieurs presse-bouton, sur des planètes lunaires. On en vient à imaginer qu'Ève pourrait quelque jour renoncer à dépouiller chaque saison, comme son vieux complice le Serpent, son vêtement d'hier pour faire peau neuve.

Déjà le vêtement a perdu beaucoup de son importance. Fini le temps où des femmes se ruinaient, ou ruinaient des messieurs généreux, en perles et chiffons. Elles préfèrent garder leur argent pour des résidences plus ou moins secondaires, des appareils domestiques sophistiqués, des voyages au bout du monde qui leur permettent de vérifier si leur guide bleu n'en a pas menti. La relation que la femme entretenait avec sa toilette a changé, en même temps que le corps, si longtemps torturé par la couturière, puis peu à peu libéré, prenait goût à son indépendance. Jean Baudrillart a bien dit (ce que toute femme sent) que le corps l'emportait maintenant sur le vêtement. Il ne s'agit plus tellement d'*être bien dans sa robe,* mais, comme dit une expression vulgaire mais révélatrice, d'*être bien dans son corps. (Être bien dans sa peau* implique plutôt quelque bien-être moral). La peau que l'on soigne, que l'on dore au soleil, c'est elle qui est maintenant le vrai vêtement, en dehors même des naïvetés du nudisme. "La mode est au nu", disait un récent slogan. Aussi l'institut de beauté, la clinique de chirurgie esthétique, la salle de gymnastique prévalent-elles sur le salon de couture, le corps demandant beaucoup moins aux modes d'exalter, selon les saisons, telle ou telle partie de lui-même, car il se veut un tout harmonieux. Et pourtant...

"Changez-vous, ça change tout".
Slogan actuel.

On n'a jamais autant parlé et écrit de mode. Sociologues et psychologues ont noté chez nos contemporains un "surinvestissement de l'apparence". Personne d'ailleurs ne peut échapper à la question du vêtement et de la mode (hors le cas de l'uniforme de société). Coquetterie mise à part, le vêtement, comme la parole, ou l'écriture, ne saurait être innocent. Aussi le voit-on de temps à autre reprendre de l'importance dans des catégories sociales qui ne comptaient pas pour la mode : chez les intellectuels, avec valeur de drapeau, ou chez des dandys de *sittings*. Les historiens recensent déjà ces mouvements de mode jeunes, qui n'ont guère plus de vingt ans d'existence, mais se sont montrés inventifs. Il est vrai que la mode, dans son ensemble, est en train de devenir historique. Des musées sont nés, qui ont recueilli les fragiles merveilles couturières des siècles passés, et ils s'ouvrent déjà aux robes de naguère, d'hier et d'aujourd'hui. Deux grands couturiers, l'un disparu, l'autre en pleine activité, ont eu droit à une rétrospective de leur œuvre. D'autres suivront sans doute. La mode s'aligne sur la peinture, qui saute souvent de la galerie au musée. D'une autre manière, elle imite aussi la littérature de notre temps. Depuis Flaubert, en effet, l'écrivain travaille dans sa bibliothèque : son livre est fait de livres, bâti de citations. Or, si la mode d'aujourd'hui entre vite au musée, c'est aussi de là qu'elle sort de plus en plus, les couturiers puisant des idées dans cette histoire vivante de la mode, comme dans des tableaux. Barthes voyait dans *l'emprunt* du couturier à l'histoire une notion littéraire. La mode tend à devenir citation, clin d'œil à un public averti qui, lui aussi, va au musée. On a même parfois l'impression qu'en créant des modèles d'une architecture étonnante, le couturier ne songe pas à l'utilité immédiate d'habiller une cliente en adaptant le modèle à des morphologies moins mannequines, mais qu'il se veut surtout le *créateur* — c'est le mot qui prévaut aujourd'hui — de son modèle, comme on l'est d'un tableau, d'un livre. La couture semble vouloir oublier, ou faire oublier, l'artisanat couturier. Des *créatrices* actuelles, dans leurs mémoires écrits ou parlés, se flattent de ne pas savoir tenir une aiguille.

Dans le musée de la robe, on a cru parfois reconnaître la glorieuse pompe funèbre de la mode. Mais je vois qu'un sociologue déjà cité montre que "curieusement, la mode et le musée se développent simultanément". Toujours est-il que la mode, comme elle aime à le dire, se porte bien. Elle paraît même à son zénith, marchant d'égale à égale avec les gloires de l'art, de la littérature, de la politique.

Les académiciens Goncourt recueillent pieusement des textes littéraires sur la mode pour un catalogue d'exposition. Se prêtant au questionnaire classique d'un grand quotidien, le P.D.G. d'une maison de couture prestigieuse répond à l'habituel : "Qui auriez-vous aimé être? : — Flaubert. Un ancien Premier ministre, candidat à la présidence de la république, déclare à la télévision que sa vocation était d'être couturier.

Côté littérature, de jeunes écrivains ressuscitent les attitudes romantique ou dandy en même temps que les chemises byroniennes et les écharpes de soie blanche des gommeux et des gentlemen-cambrioleurs, ou posent pour des marques de slip. Peut-être leurs livres, et la littérature en général, continueront-ils à refléter les beaux chiffons.

Et même si on ne devait plus parler d'elle, même si elle devait mourir, la mode, — ce qui nous paraît impossible —, même alors, d'avoir enveloppé tant de chiffons et leurs admirateurs dans le linceul historique consolerait l'auteur des muets reproches qui lui adressèrent tout un hiver, aux modestes éventaires des fleuristes, tant de beaux lys des champs, anémones, qui ne filent ni ne tissent.

Paris, mai 1987.

Ouvrages cités

Alain, *Système des Beaux-Arts* in *Les Arts et les Dieux*, Gallimard, Bilbl. Pléiade, 1958.

Albert-Birot (Pierre), in "Poètes d'aujourd'hui", Seghers, 1967.

— Revue *Sic*, 1916.

Apollinaire, *Oeuvres poétiques complètes*, Bibl. Pléiade, *Oeuvres en prose* éd. Décaudin, Pléiade, t. I.

Aragon, *Aurélien*, Gallimard, 1944.

— *Les beaux quartiers*, Denoël, 1936.

— *Le Paysan de Paris*, Gallimard, 1926.

Audoux (Marguerite), *L'Atelier de Marie-Claire*, Charpentier, 1920.

Balzac, *Falthurne*, éd. Castex, Corti, 1950.

— *La Comédie humaine*, Bibl. Pléiade : *La Muse du département*, t. IV; *La Duchesse de Langeais* et *Ferragus*, t. V; *l'Interdiction* et *le Contrat de mariage*, t. III; *Gambara*, t. X; *les Mémoires de deux jeunes mariées*, t. I; *les Secrets de la princesse de Cadignan*, t. IV; *Traité de la vie élégante* et *Théorie de la Démarche*, t. XII, 1981.

Barbey d'Aurevilly, *Oeuvres romanesques complètes*, Pléiade, 2 vol., 1964.

Barthes (Roland), "Démontage d'une rhétorique", *Change* n°4, 1969.

— *Erté : Romain de Tirtoff*, Parma, F.M. Ricci, 1973.

— "Histoire et sociologie du vêtement", *Annales-Economies-Sociétés-Civilisations*, n° 3, Colin, 1957.

— *Le Système de la mode*, éd. du Seuil, 1967.

Baudrillard (Jean), "La Mode ou la féérie du code", *Traverses* n° 3, fév. 1976.

Beaton (Cecil), *Cinquante ans d'élégance et d'art de vivre*, Amiot-Dumont, 1955.

Bernardin de Saint-Pierre, *Paul et Virginie*, éd. 1806.

Bibesco (princesse), *Catherine-Paris*, Grasset, 1927.

— *Noblesse de robe*, Grasset, 1928.

Bourges (Elémir), *Le Crépuscule des dieux*, Libr, parisienne, 1884.

Bourget (Paul), *André Cornélis*, Lemerre, 1887.

— *Cosmopolis*, Lemerre, 1893.

— *Cruelle énigme*, Lemerre, 1885.

Breton (André), *Mont-de-piété-Clair de terre*, Poésie/Gallimard, 1966.

— *Dictionnaire abrégé du surréalisme*.

Carlyle, *Sartor resartus*, Mercure de France, 1904.

Chamfort, *Maximes, pensées, caractères et anecdotes,* Garnier-Flammarion, 1968.
Charles-Roux (Edmonde), *L'Irrégulière ou mon itinéraire Chanel,* Grasset, 1974.
— Préface à *Moments de mode,* Musée des Arts de la mode Herscher, 1986.
Cocteau (Jean), *La difficulté d'être,* UGE, 1964.
— *La Mésangère,* 1963.
— *"Morale de la mode" in Arts et Spectacles* n° 579 1er août 1956.
— *Opéra* suivi de *Des mots, De mon style,* Tchou, 1967.
— *Opium,* Stock, 1956.
— *Le Passé défini,* Gallimard, t. I, 1983.
— *Portraits-souvenirs,* Grasset, 1935.
— *Le Prince frivole,* Mercure de France, 1910.
— *Tableaux parisiens,* 1943 in *Cahiers Jean Cocteau* n° 9.
— *Thomas l'Imposteur,* Gallimard, 1923.
Colette *Claudine à l'école, Claudine à Paris, Claudine en ménage, Claudine s'en va, l'Ingénue libertine, la Retraite sentimentale, les Vrilles de la vigne (Le Miroir), la Vagabonde* in *Oeuvres,* éd. Pichois, Bibl. Pl. t. I. *Douze dialogues de bêtes, l'Envers du Music-Hall, les Heures longues (Pieds, Lac de Côme, Modes), Chéri, le Voyage égoïste, la Chambre éclairée (Petit manuel de l'aspirant scénariste),* ibid. t. II. *La fin de Chéri, Prisons et Paradis (Chanel), Julie de Carbeilhan, le Képi, le Fanal bleu, Gigi, les Belles saisons* in *O.C.,* Club de l'Honnête homme, t. 6 à 13.
Corneille (Pierre), *O.C.,* Bibl. Pl.
Cros (Charles), *Le Coffret de santal* suivi du *Collier de griffes,* Garnier-Flammarion, 1973.
Daudet (Alphonse), *L'Immortel,* Houssiaux, 1888.
— *Le Nabab,* Houssiaux, 1877.
Dekobra (Maurice), *La Madone des sleepings,* 1925.
Diderot, *Les Bijoux indiscrets* in *O.C.,* Bibl. Pléiade.
Drieu La Rochelle (Pierre), *Gilles,* Gallimard, 1939.
Dumas fils, *L'Homme-femme,* Michel Lévy, 1872.
Fargue (Léon-Paul), *De la mode,* Éditions littéraires de France, 1945.
Feydeau (Ernest), *Fanny,* Amyot, 1858.
Flaubert (Gustave), *Madame Bovary, l'Éducation sentimentale, Bouvard et Pécuchet* in *O.C.,* Cl. de l'Honnête homme, t. 1, 3, 6, 1972.
— *Carnets et projets,* Lausanne, éd. Rencontre, 1965.
France (Anatole), *Histoire contemporaine,* Calmann Lévy, 1897-1901.
— *L'Ile des Pingoims,* Calmann Lévy, 1898.
— *Sur la pierre blanche,* Calmann Lévy, 1905.
Furetière, *Le Roman bourgeois* in *Romanciers du XVIIe s.,* Bibl. Pléiade, 1958.
Gautier (Théophile), *De la mode,* Poulet-Malassis, 1858.
— *Émaux et Camées,* éd. Droz, 1947.
— *Fortunio,* éd. Delloye 1840.
— *Mademoiselle de Maupin,* éd. Garnier-Flammarion, 1966.
Gide (André), *Les Caves du Vatican* (1914), éd. Gallimard, 1922.
— *Les Faux-Monnayeurs,* Gallimard, 1925.
— *Journal,* Bibl. Pl., t. 1, 1951.
— *Paludes* (1895), éd. Gallimard, 1920.
Girardin (Delphine de), pseud. Vte de Launay, *Lettres parisiennes,* Michel Lévy, 1857, 4 vol.
Giraudoux (Jean), *Bella,* éd. Fayard, 1951.
— *Suzanne et le Pacifique,* Grasset, 1939.

Goncourt (E. et J.), *Journal, mémoires de la vie littéraire*, éd. Ricatte, Fasquelle-Flammarion, 1956.
— *Chérie*, éd. Lemerre, 1889.
— *Les Frères Zemganno*, Charpentier, 1879.
— *Gavarni, l'homme et l'œuvre*, Plon, 1873.
— *Madame Gervaisais*, éd. Lemerre, 1892.
— *La Faustin*, éd. Lemerre, 1887.
— *Manette Salomon*, Lacroix, Verbœckhoven et cie, 1867.
Gourmont (Remy de), *Promenades littéraires*, Mercure de France, 1904-1913, 2e série.
— *Sixtine, roman de la vie cérébrale*, 1890.
Gracian (Balthazar), *Le Héros*, éd. Champ libre, 1980.
Greimas (Algirdas J.), *La Mode en 1830. Essai de description du vocabulaire vestimentaire d'après les journaux de mode de l'époque*, 1948 (thèse dactylographiée).
Gyp, *Le Mariage de Chiffon*, Calmann Lévy, 1894.
Hamilton, *Mémoires du comte de Gramont* in *Romanciers du XVIIIe s.*, Bibl. Pl., 1960.
Huysmans (J.-K.), *A rebours*, éd. R. Fortassier, Imprimerie Nationale, 1981.
La Bruyère, *O.C.*, Bibl. Pl. (ch. III, XIII).
Laforgue, *Poésies complètes*, éd, Cluny, 1943, vol. I.
Larbaud (Valéry), *Oeuvres*, Bibl. Pl. 1984.
Léautaud (Paul), *Le Petit Ami*, Mercure de France, 1903.
Lorrain (Jean), *Contes d'un buveur d'éther* (*La Main d'ombre*), 1895.
— *Le Crime des riches*, Baudinière, 1905.
— *Monsieur de Bougrelon*, Borel, 1897.
— *Monsieur de Phocas*, Ollendorf, 1901.
Mallarmé (Stéphane), *O.C.*, Bibl. Pl., 1956.
— *Correspondance*, éd. James L. Austin, Gallimard, vol. X.
Marceau (Félicien), *Creezy*, Gallimard, "Folio", 1969.
Margueritte (Victor), *La Garçonne*, Flammarion, 1922.
Maupassant (Guy de), *Chroniques*, éd. 10/18, 1980, vol. I.
— *Fort comme la mort*, Ollendorf, 1890.
— *Notre cœur*, Albin Michel, 1890.
Mauriac (François), *Préséances*, Flammarion, 1928.
— *Thérèse Desqueyroux*, Grasset, 1927.
Maurois (André), *Climats*, Grasset, 1928.
— *L'Instinct du bonheur*, Grasset, 1934.
Mendès (Catulle), *Le Roi vierge* (1880), éd. 1886,Dentu.
Mercier (Sébastien), *Tableau de Paris*, Hambourg, Virchaux, 1781.
Miomandre (Francis de), *La Mode*,Hachette, 1927.
Mirbeau (Octave), *Des Artistes*, 10/18, 1986, p. 254.
Molière, *O.C.*, Bibl. Pl., 2 vol.
Montaigne, *Les Essais*, éd. Villey, t. I, 49; III, 10.
Montesquieu, *Lettres persanes*, let. 99, 100, 110.
Montesquiou (Robert de), *Les Hortensias bleus*, éd. des Autres, 1979.
— *Les Pas effacés*, Émile-Paul, 1923.
Morand (Paul), *L'Europe galante*, Grasset, 1925.
— *Fermé la nuit*, éd. de la Nouvelle Revue française, 1923.
— *1900*, éd. Flammarion, 1942.
— *La Présidente*, *Le Bazar de la Charité* in *Fin de siècle*, Folio, 1963.
— *Ouvert la nuit*, éd. de la Nouvelle Revue française, 1922.

Musset (Alfred de), *Poésies complètes*, Bibl. Pl., 1962.
— *Théâtre complet*, Bibl. Pl., 1962.
Nerval (Gérard de), *Oeuvres*, Bibl. Pl., t. I, 1960.
Péladan (Joséphin), *Un cœur en peine*, 10/L8, 1984.
— *Le Vice suprême* (1884), éd. des Autres, 1979.
Pelt (Jean-Marie), *Les Plantes : amours et civilisations végétales*, Fayard, 1980.
Perec (Georges), *Les Choses*, 10/L8, 1965.
— *Je me souviens*, Hachette, 1978.
— *La Vie, mode d'emploi*, P.O.L., 1978.
Philippe (Charles-Louis), *Bubu de Montparnasse*, Grasset, 1901.
Poiret (Paul), *En habillant l'époque*, Grasset, 1930.
Prévost (Marcel), *Les Demi-vierges*, Lemerre, 1894.
— *Nouvelles lettres à Françoise*, Ferenczi, 1932.
Proust (Marcel), *Contre Sainte-Beuve*, Bibl. Pl., 1971.
— *Jean Santeuil*, Bibl. Pl., 1971.
— *A la Recherche du Temps perdu*, Bibl. Pl., 1954.
Queneau (Raymond), *Zazie dans le métro*, Folio. 1972.
Rachilde (Marguerite Eymery, dite), *Madame Adonis*, E. Monnier, 1888.
— *Monsieur Vénus*, F. Brossier, 1889.
— Sous le pseud. Alfred Machard, *Souris l'arpette*, 1914.
Radiguet (Raymond), *Le Bal du Comte d'Orgel*, Grasset, 1924.
Régnier (Henri de), *Le Mariage de Minuit*, Fayard, 1932.
Restif de la Bretonne, *Histoire des mœurs et du costume des Français dans le XVIIIe siècle*, Paris, L. Willem, éd. 1878.
— *Immoralité des modes actuelles*, 1897 (in *Politique*, IX, 246).
— *Le Pornographe*, éd. Régine Desforges, 1977.
Robbe-Grillet (Alain), *Les Gommes*, éd. Minuit, 1953.
— *Instantanés*, éd. Minuit, 1962.
— *La Jalousie*, éd. Minuit, 1957.
Rostand (Edmond), *Cyrano de Bergerac*, éd. Truchet, Imprimerie Nationale, 1985.
Rouff (Maggy), *La Philosophie de l'élégance*, éd. litt. de France, 1942.
Rousseau (J.-J.), *La Nouvelle Héloïse*, in *O.C.*, Bibl. Pl., t. II.
Sacher-Masoch (Léopold von), *La Vénus à la fourrure*, Presses Pocket, 1985.
Sachs (Maurice), *Au temps du bœuf sur le toit*, éd. de la Nouvelle revue critique, 1948.
Saint-Simon, *Mémoires*, Bibl. Pl.
Sand (George), *Correspondance*, éd. G. Lubin.
Schiaparelli (Elsa), *Shocking*, Denoël, 1954.
Senancour, *Oberman*, éd. B. Didier, Libr. Gén. française, 1984.
Sévigné (Mme de), *Correspondance*, Bibil. Pl.
Sollers (Philippe), *Femmes*, Folio, 1983.
Sue (Eugène), *Le Juif errant*, R. Laffont, 1983.
Taine (Hippolyte), *Vie et opinions de M. Frédéric-Thomas Graindorge*, Hachette, 1867, p. 29.
Tinan (Jean de), *O.C.*, 10/18, 1980.
Toulet (P.-J.), *Les Contrerimes*, Émile-Paul, 1949.
— *La Jeune Fille verte*, Émile-Paul, 1920.
— *Mon amie Nane*, Le Divan, 1905.
Valéry (Paul), *Cahiers*, Bibl. Pl., 2 vol. 1973-74.
Vian (Boris), *L'Écume des jours*, 10/18, 1963.
Villiers de l'Isle-Adam, *L'Ève future*, et *Contes cruels*, in *O.C.*, éd. P.-G. Castex et A. Raitt, Bibl. Pl., 1986.
Vilmorin (Louise de), *Les Belles Amours*, Folio, 1954.
— *La Lettre dans un taxi*, Folio, 1958.
— *Madame de...* suivi de *Julietta*, Folio, 1951.
Voltaire, *Correspondance*, éd. Besterman, Genève, t. XXXV, lettre D 15869.
Zola (Émile), *La Curée* in *Les Rougon-Macquart*, Bibl. Pl., t. I; *Son Excellence Eugène Rougon* et *Nana*, *ibid.*, t. II; *Au Bonheur des dames*, t. III.

Table